DE KLEUR VAN BLOED

D0550579

Voor Melle

Van Rom Molemaker verscheen eerder:

Crisis
Drijfjacht
Uit de schaduw
Moord op school

WWW.UITGEVERIJHOLLAND.NL
WWW.ROMMOLEMAKER.NL

ROM MOLEMAKER

DE KLEUR VAN BLOED

Uitgeverij Holland - Haarlem

Elke overeenkomst met bestaande figuren, organisaties, gebeurtenissen en historische feiten berust op louter toeval.

Dinsdag 14 april

Sinds vandaag is mijn schoolagenda mijn dagboek.
Het bijhouden van een dagboek is een meidending, dat weet ik ook
wel, en toch doe ik nu hetzelfde. Ik heb alleen niet zo'n boek met
een slotje erop dus ik gebruik mijn agenda. Ik schrijf omdat ik, als
dat nodig is, precies kan terughalen wat er allemaal gebeurd is en
nog gaat gebeuren. En ook omdat ik verder overdag niets te doen
heb.
Er wordt naar me gezocht, dat moet haast wel. Mijn moeder
wordt gek van angst. Kan ik nu even niets aan doen. Kom alleen
tevoorschijn als het echt niet anders kan.
Moe. Stink inmiddels net zoals de plek waar ik zit.
Is de wereld veranderd? Mijn wereld wel. Vanaf het moment dat
ik voor het eerst naar het Augustinuscollege ging.

Zes weken eerder

1

'Jouw vader is gek.'

'Sorry?' Ik keek de jongen tegenover me geïrriteerd aan. Dat was nog eens een fijne binnenkomer. Hij was een kop groter dan ik maar minder gespierd, een lange slungel. Die kon ik wel aan. Hij droeg een spijkerbroek - PME Legend, zag ik - en een zwart, openhangend jack over een grijs T-shirt, met 'HOT BEER' in grote, rode letters. Kort donker haar en een bril. Mijn leeftijd, dacht ik: zestien.

'Zou je even willen even vertellen wat je daarmee bedoelt?' vroeg ik.

'Jij heet toch Bosroode van je achternaam?'

'Ja?' - wat kregen we nou? - 'Is dat jouw probleem, gast?' Ik hield me van den domme. Wat mensen van mijn achternaam dachten wist ik natuurlijk. Het was prettiger geweest als ik De Jong had geheten, of Smit, daar zijn er een heleboel van, maar het was Bosroode, vrij zeldzaam. En het was uiteraard de naam van mijn vader. Dat maakte een hoop verschil.

'Nou dan. Jouw vader is knettergek.'

'O? Wie zegt dat?' Ik deed een stapje naar hem toe maar hij liet zich niet intimideren.

'Die van mij,' zei hij. 'Hij kan het weten, en hij is niet de enige. Hij leest namelijk kranten en hij kijkt naar het nieuws. Hij houdt de dingen bij.'

Ik keek om me heen. Er liepen jongens en meiden langs me heen, sommige ouder dan ik en andere een stukje jonger. Ik kende niemand. Het was mijn eerste dag op het Augustinus, mijn nieuwe school. De jongen tegenover me kende ik dus ook niet. Hoe wist die gast dat ik Bosroode heette? Als dat aan me te zien was moest ik me zorgen maken.

'Hoe weet jij mijn naam?' vroeg ik.

'Ik weet het. Hoe is niet belangrijk. Je komt trouwens in mijn klas te zitten.'

'Joh, wat ben ik daar blij om.' Ik liet het sarcasme er in dikke slierten afdruipen. 'Dat is een groot voorrecht.'

'Tja.' Hij haalde zijn schouders op. 'Dat moet je natuurlijk maar afwachten. Trouwens, dat je vader gek is hoeft niet te zeggen dat jij dat ook bent.'

'Nou, fijn dat je het even zegt,' zei ik. 'Ik maakte me al zorgen.'

Hij was niet stuk te krijgen en bleef kalm. 'By the way, ik heet Jesper,' zei hij. 'Jij?'

'Michiel. Dus dat wist je dan weer niet?'

Hij keek me nadenkend aan, alsof hij me aan het proeven was, een minuscuul glimlachje rond zijn mond. 'Oké,' zei hij. 'Nou, ik zie je hè?' Hij liep slungelig, zonder nog om te kijken en ongehaast, naar een groepje leerlingen dat vlak bij de deur stond.

Ik keek hem na. Die ging daar natuurlijk vertellen wie ik was. Hij zou wel eens gelijk kunnen hebben al vond ik dat hij het niet moest gaan rondbazuinen. Het ging tenslotte wel over mijn vader. Ik keek om me heen en zette me onwillekeurig schrap. Behalve hij was er niemand die aandacht aan me schonk. Misschien viel het mee.

'Laat me er even door, jongens.' De man die zich had voorgesteld als mijn mentor - was het nou Baardmans, ik wist het niet meer - baande zich een weg door een kluwen van leerlingen onder aan de trap. Ik liep achter hem aan. Ik wist zeker dat er waren die me nieuwsgierig nakeken, gewoon omdat ik hier nieuw was maar ik sloot me ervoor af. Ik zou mijn plek hier wel veroveren, daar was ik zeker van.

Ik zag die jongen, Jesper, een meter of tien voor me uit. Vreemde gast. Ik had me niet voorgenomen om mijn plek met mijn vuisten te veroveren maar iedereen kon het krijgen zoals hij het hebben wilde.

Mijn vader, gek of niet, was op het achterlijke idee gekomen om te gaan verhuizen. Omdat hij, zoals hij zei, 'dichter bij het vuur wilde zitten'. En omdat hij sinds een paar jaar in de politiek zat bedoelde hij met 'dicht bij het vuur': Den Haag. Waar het centrum van de macht was, zoals hij zelf zei. Ik was er niet blij mee maar er was meer. Die paar jaren in de politiek hadden hem veranderd. Hij was harder geworden en ik miste de vader die hij vroeger was. Toen het leek of hij niet alleen mijn vader was maar ook mijn vriend.

Den Haag had hij trouwens nog niet helemaal gehaald dus het was Utrecht geworden. Dikke shit waar ik niets tegenin kon brengen.

Een grote, dikke jongen baande zich een weg door de massa op de smalle trap zodat ik bijna plat werd gedrukt tegen de muur. Hij keek op zijn smartphone en lette niet op zijn omgeving. Ik verloor het contact met mijn kersverse mentor.

'Zo!' Een meisje dat naast me liep werd ook bijna verpletterd. 'Bór! Gaat het een beetje?'

Bor bleef stug op zijn smartphone kijken terwijl hij de middelvinger van zijn vrije hand opstak.

'Aso,' mompelde ze en toen keek ze mij aan. 'Ken ik jou?' vroeg ze. 'Ben je nieuw?'

'Gloednieuw.' Ik knikte. Sodeju, dat was nog eens een mooie meid. Groot, blond, geruit overhemd. Fijne mond en grijze ogen, ik zag het in één geoefende oogopslag.

'Welke klas?' Ze bekeek me nieuwsgierig.

'Ja,' zei ik. 'Dat weet ik eigenlijk niet. Ik ben mijn mentor kwijt.' Ik wees naar voren waar het nu volop spitsuur was.

'Wie is je mentor?'

'Ik kon hem niet goed verstaan... Baardmans?'

Ze dacht even na en lachte. 'Waarsma, denk ik,' zei ze. 'Nou, dat is mijn mentor ook. Ik ben Kaja.'

'Michiel.'

'Volg mij.' We lieten ons meedrijven met de stroom, sloegen linksaf toen we boven aan de trap waren en stopten bij de deur van lokaal nummer 146. Een groep leerlingen stond te wachten tot de deur van het slot ging. En daar was mijn mentor ook weer, Waarsma, leraar biologie. Dat hoorde ik van Kaja, die mooie chick. Hij zocht naar de goede sleutel aan zijn sleutelbos. Niemand besteedde aandacht aan me. Ze letten vooral op elkaar, duwden, en riepen van alles in het rond.

'Hé, Rafik, nieuwe fiets gejat?'

'Niks jatten, jongen. Baantje.'

'Meneer Waarsma, ik ben mijn huiswerk vergeten.'

'Vergeten te maken?' Meneer Waarsma had nog steeds de goede sleutel niet.

'Nee, het ligt thuis.'

'Jongens, ga eens achteruit. Jullie staan in mijn licht.'

De hele groep deed massaal een stap achteruit zodat ik meteen weer met mijn rug tegen de muur stond. Toen vond Waarsma eindelijk de sleutel. De verkeersknoop loste op en de groep stroomde het lokaal in. Ik ging als laatste naar binnen. Ik bleef naast het digibord staan terwijl ik onaangedaan de klas in keek. Waarsma mikte zijn tas op zijn bureau. Hij keek zoekend rond tot hij mij zag staan. 'Juist, daar ben je,' zei hij. Hij maakte met een handgebaar duidelijk dat ik nog even moest blijven staan en klapte in zijn handen. 'Zitten allemaal, kom op.'

Ik keek naar mijn toekomstige klasgenoten van havo4b. Onbekende gezichten.

'Hé, schiet eens op, Chris, Hazim, zitten, pet af, tas op de grond, blijf van elkaar af, kom nou.'

Ik zag Kaja bij het raam zitten. Vlak voor haar zat Jesper. Hij deed niet mee met het lawaai maar zat rustig op zijn plek. Hij keek naar me. Ik kon aan zijn gezicht niet zien wat hij van me dacht.

Toen het na nog wat aansporingen eindelijk rustig was geworden zei Waarsma: 'Ik wil even jullie nieuwe klasgenoot voorstellen. Dit is...' - hij haalde een briefje uit zijn zak - 'Michiel Bosroode.' Het was niet heel duidelijk maar er was even een korte aarzeling in zijn stem. Hij kende die naam, dacht ik. Die dacht misschien ook dat mijn vader gek was al zou het kunnen dat ik te achterdochtig was.

'Wil je iets over jezelf vertellen?'

'Ik kom uit Stadskanaal,' zei ik. 'En nu woon ik in Utrecht.' Daar wou ik het maar bij laten. Waarsma wachtte even of er nog meer kwam. 'Dat was het?' zei hij toen.

Ik knikte, en Jesper stak zijn vinger op. 'Jouw vader zit toch in de politiek?' zei hij.

'Ja,' zei ik, uitdagend bijna. Wat mijn vader deed had niks met deze school of deze klas te maken. En ook niks met mij, eigenlijk. Dat wilde ik graag zo houden maar ik hoefde me nergens voor te schamen.

'Dat doet er nu niet toe, Jesper,' zei meneer Waarsma.

'Hij zit in de Tweede Kamer.' Jesper vond van wel. 'Voor de PNB.'

Het werd stiller dan stil.

Wat de PNB betreft, de Partij voor Nationaal Belang, dat was voor mij ongeveer hetzelfde als niemandsland. Met politiek hield ik me niet bezig. Zonde van mijn tijd. Als mijn vader bezig ging over te weinig kansen voor mensen van ons eigen volk sloot ik me af. Hij zanikte over Europa, dat er elke keer weer geld naar Griekenland ging. Dat dat geld beter in ons eigen land aan de zorg kon worden besteed. Bijvoorbeeld. Dat er te veel asielzoekers naar Nederland kwamen. Hij bekeek het maar.

Het was niet dat ik het al of niet met hem eens was, het maakte me gewoon geen bal uit.

Saartje, mijn zusje, was nog te jong en onbezorgd om erover na te denken. Wat mijn moeder ervan vond wist ik eigenlijk niet. Ze liet zich er nauwelijks over uit. Misschien kickte ze op het idee dat ze ooit de vrouw van de minister-president zou worden. Wat nooit zou gebeuren, vermoedde ik.

Zo nu en dan deed hij een poging om aan me uit te leggen waar hij mee bezig was en waarom.

'Het gaat om de toekomst, jongen,' zei hij dan bijvoorbeeld. 'Het gaat om jóúw toekomst, jouw veiligheid. Die wil ik bewaken.'

Tja, daar kon ik op zich niet veel tegenin brengen. Altijd goed als je vader je veiligheid wil bewaken, ja toch? Hij moest alleen van mijn schoolleven afblijven als het even kon.

'We gaan het hier niet over politiek hebben,' zei meneer

Waarsma. Hij wees naar een leeg tafeltje bijna achter in het lokaal. 'Daar is een plek voor je, Michiel,' zei hij.

Ik liep erheen terwijl de hele klas me niet alleen maar nieuwsgierig maar ook onderzoekend bekeek, alsof ik een exemplaar van een onaantrekkelijke diersoort was. Een soort waarvoor je misschien wel moest uitkijken. Rustig laten denken. Ik was eraan gewend. Op mijn vorige school was het stukje bij beetje net zo gegaan.

'Zo, laten we eens iets gaan doen.' Meneer Waarsma wreef in zijn handen en iedereen keek weer voor zich. Zelf keek ik opzij naar de jongen aan het tafeltje naast me. Hij had donker haar en grote, donkere ogen. Hij droeg een knalgele sweater en een broek in een kleur groen die pijn deed aan mijn ogen. Hij grijnsde.

'Ik ben Ref,' zei hij. 'Ik ben de jongen met de eeuwige knalkleuren.'

Wat een weirdo. Daar zat ík dan weer naast.

2

Een dag of drie later begon ik te merken dat de losse mededeling van Jesper invloed had gehad. Er werd op me gelet, in de gang en in de aula. Het viel me op dat leerlingen soms zachter begonnen te praten of er zelfs mee ophielden als ik voorbijkwam. En als ik dan doorliep hoorde ik achter me dat soms mijn achternaam werd genoemd. Bijna niemand sprak me rechtstreeks aan en al helemaal niemand had het tegen mij over mijn achternaam en alles wat erbij hoorde. Ik heette dan wel Bosroode maar ik was er nog maar net. Ik was een vreemde vis in hun vijver. Een vis van een onbekend merk. En dus zette ik mijn onzichtbare stekels op zodat ze op een afstand bleven. Daar ben ik goed in: mijn onzichtbare stekels opzetten.

Maar dan was Ref daar.

Ik vond hem nog steeds een vreemde gast maar ik had ontdekt dat je wel lol met hem kon hebben. Hij leek nergens mee te zitten en dat beviel me wel, al was hij voor de rest anders dan ik. Hij wisselde vaak van stemming. Hij kon heel dromerig zijn, of liever: afwezig. Waar hij was op zo'n moment was dan niet duidelijk. Dan moest je hem dwingend bij zijn naam noemen, meer dan één keer, voor hij reageerde.

'Waar zat je aan te denken?' vroeg ik, en hij antwoordde dat hij ritme in zijn hoofd had.

'Ritme?'

'Je weet wel: tamtada dam tadadam, of dumduduh dudumdudududuh, dat soort dingen, ritmes.'

'Altijd? Ritmes?'

'Nee, niet altijd. Soms zijn het kevertjes.'

'Jóh, kevertjes...'

Hij was anders dan de anderen in de klas, wat zijn kleding betreft bijvoorbeeld. Toch was hij geen buitenbeentje. Ze namen hem zoals hij was al kregen ze soms hoofdpijn van zijn kleurenkeuze. Maar er zat geen kwaad in hem. Ze konden soms bijna minzaam naar hem kijken als hij weer eens een gedachte losliet. Die Ref, dachten ze dan met een glimlach.

En Kaja was er natuurlijk, al was ik er, vooral in het begin, niet zeker van of ze wel wist dat ík er was. Ze bemoeide zich niet met me. Ik moest me inhouden om niet voortdurend naar haar te kijken omdat ze zo mooi was. Wat ze van mijn vader en zijn PNB dacht wist ik dus ook niet. Dat wilde ik ook niet weten.

Ref woonde niet zo ver bij mij vandaan, dus we fietsten soms samen naar school. Soms ook niet omdat hij er een handje van had om nogal laat te komen aanzakken en ik had niet altijd zin om op hem te wachten. Ik houd niet van wachten.

Op een dag tegen het eind van de week liepen we met onze fiets aan de hand over het plein naar de fietsenrekken. We waren voor de verandering ruim op tijd en er waren nog heel wat plekken vrij. Ik zette mijn fiets in een van de bovenrekken en draaide me om naar Ref die naast me een plek had gevonden in het onderste rek.

Opeens stond er een jongen links van me, Marokkaans dacht ik, maar ik was nog niet helemaal op de hoogte van waar iedereen vandaan kwam. Hij deed nog een stap dichterbij terwijl hij zonder iets te zeggen naar me keek. Het was niet de manier van iemand die eens gezellig kennis komt maken.

Ik bleef staan, zwijgend, net als hij. Als hij wat van me wilde zou hij dat zelf moeten zeggen maar dat deed hij niet. Hij keek alleen maar.

'Wát is jouw probleem?' Ik koos voor de aanval.

Het verraste hem, zag ik. Hij opende zijn mond om iets te zeggen maar Ref was me voor. Hij stond naast me en zei, terwijl hij zijn hand uitstak: 'Hey, Tazim, alles goed?'

'Ja,' zei Tazim. Hij keek van me weg terwijl hij Ref een hand gaf. 'Jij?'

'Alles helemaal goed,' zei Ref. 'Geen probleem.' Hij gaf me een bijna onmerkbaar duwtje in mijn rug en we liepen langs de zwijgende Tazim naar de half openstaande deur.

'Wat was dat?' vroeg ik, toen we in de aula aan een tafeltje waren gaan zitten. 'Wat moest die gast? Bedreigde hij me nou?'

'Daar leek het bijna wel op,' zei Ref. Hij leek niet erg onder de indruk en keek op zijn gemak om zich heen. Alsof bedreiging op zijn school dagelijks werk was.

'Je hoeft me niet te beschermen.' Ik maakte me breed. 'Ik kan heel goed voor mezelf zorgen.'

'Je zegt het maar,' zei hij. 'Ik zag hoe je keek en ik wou alleen maar even verstandig zijn.'

'Waarom zou hij me bedreigen, trouwens?'

'Wat denk je zelf? Vanwege je vader natuurlijk.'

Ik had het nog niet één keer met Ref over hem gehad en nu deed hij net of het de gewoonste zaak van de wereld was dat iedereen over mijn vader nadacht. Ik keek om me heen om te zien of er nog meer waren die op me zaten te letten maar daar zag het niet naar uit.

'Hoezo?' vroeg ik. 'Wat heeft mijn vader met mij te maken?'

'Hij is je vader. Natuurlijk hebben jullie met elkaar te maken,' zei hij.

'Thuis misschien,' antwoordde ik. 'Maar niet hier op school.'
'Ja,' zei hij nadenkend. 'Ik weet alleen niet of iedereen het daar mee eens is.'

Die avond werd in het NOS-journaal meegedeeld dat Heleen Zilvermunt, fractieleider van de PNB in de Tweede Kamer, had geëist dat er een eind zou komen aan het bouwen van nieuwe moskeeën.
Heleen Zilvermunt was niet zo lieflijk als haar voornaam. Het was een magere vrouw van een jaar of vijftig met een hard gezicht achter een grote bril met een hoekig montuur. Ik zag haar soms op de tv, in de Tweede Kamer of op straat als ze zich, omringd door haar beveiligers, onder het volk begaf om te vertellen waar ze voor of tegen was. Die beveiligers waren nodig, vond de overheid, omdat er mensen waren die het op haar hadden voorzien. Marokkanen bijvoorbeeld, die ze het liefst het land zou uitzetten als ze dat zou kunnen. Dat zei ze dan ook regelmatig.
Mijn vader zei dat hij zelf ook beveiliging wilde omdat zijn hoofd inmiddels bekender was geworden. Maar zover was het nog niet en daar baalde hij van. Misschien binnenkort, want er waren verkiezingen op komst.
Het leek mij helemaal niks, van die gorilla's met brede schouders om hem heen. En stel dat hij dat voor elkaar kreeg, hoe lang zou het dan duren voor ook zijn vrouw en kinderen beveiligd moesten worden? Dan ging ik dus niet meer naar school, dat had ik me al voorgenomen.

3

Ik fietste de volgende dag alleen naar school. Ref was te laat of ziek. Ik reed langzaam omdat ik bezig was met nadenken, over Heleen Zilvermunt met haar lelijke rotbril. Over die PNB van haar en van mijn vader en over moskeeën. Of dat er misschien teveel waren en ze dus gelijk had. Ik had persoonlijk geen last van moskeeën en ik wist al helemaal niet hoeveel het er waren. Ik hoopte alleen dat ze er op school met mij niet over zouden beginnen. Daar wilde ik mijn dag niet door laten bederven.

Ik was een van de laatsten toen ik bij school aankwam. Het plein was al zo goed als leeg. Ik zette haastig mijn fiets in het rek, glipte nog net op tijd naar binnen en ging naar wiskunde. Dat dacht ik tenminste.

Ik was tot nu toe, op weg van het ene lokaal naar het andere, vooral achter anderen aangelopen maar nu waren de gangen leeg. Was wiskunde nou in een lokaal ergens boven, ik wist het niet meer. Het oude schoolgebouw leek op een doolhof, met verschillende trappenhuizen en onlogisch aangelegde nauwe gangen. Met volgens mij onnodige hoekjes en deuren die niet werden gebruikt. Ik koos een smalle trap aan het eind van een nogal donkere gang die ik dacht te herkennen. Naar boven, dan naar links en nog een keer naar links. Er lag een nieuwe trap voor me van niet meer dan vijf treden. Ja, daar was ik al vaker geweest. De boogvormige doorgang deed me denken aan een klooster. Boven, aan het eind van een korte gang, was het lichter. Daar moest ik naartoe. Ik ging de treden op en vond mezelf behoorlijk stom. Als ik straks bij wiskunde aankwam - dat moest toch een keer gebeuren - zou ik moeten zeggen dat ik verdwaald was.

'Verdwaald? In de stad? In het bos?'

'Nee hier, op school.'

'Jongen toch.'

Terwijl ik dat bedacht schoof er een figuur voor het licht dat door een raam aan het eind van het gangetje viel, een donkere schaduw. Ik kon het gezicht niet goed zien maar de gestalte herkende ik. Het was de jongen die me op het plein ook al zwijgend in de weg had gestaan, me alleen maar aankijkend: Tazim. Alsof hij wist welke route ik zou volgen en hij me opgewacht had. Later heb ik gedacht dat dat ook zo was. Hij kende het gebouw als zijn broekzak.

Hij bleef staan, een brede figuur die me wilde tegenhouden. Maar als hij dacht dat hij me bang zou maken zat hij er behoorlijk naast. Ik ging de vijf treden op tot ik bij hem was.

'Ga eens opzij,' zei ik.

Hij deed een stap naar voren tot zijn brede gezicht vlak bij dat van mij was. Ik merkte dat hij had gerookt. 'Bosroode,' zei hij. 'Ik haat jou.'

Hij haatte me. Ik had nog nooit een woord met hem gewisseld, ik kende hem niet, hij mij niet, en hij haatte me. Achterlijke mocro.

'En weet je waarom?'

Gelukkig, hij ging het zelf vertellen.

'Die fokking PNB van jouw vader wil ons kapotmaken.'

De fokking PNB was natuurlijk niet speciaal van mijn vader maar ik was niet van plan om met hem in discussie te gaan.

'Lul niet,' zei ik.

'Dat fokking wijf van die fokking PNB van jouw fokking vader wil alle Marokkanen weg hebben.' Hij zei het zacht maar hij beet op het woord 'fokking', elke keer voor hij het uitspuwde. 'Dan ga je toch lekker naar dat fokking wijf van de PNB?' zei ik. 'Of naar mijn vader voor mijn part? Ik heb er niks mee te maken. En nu moet ik naar de les.' Ik wilde langs hem heen lopen maar hij schoof met me mee. 'Wij willen jou niet op deze school,' zei hij. 'Waarom rot je niet op?'

Rot op?

In mijn hoofd raakten twee losse draadjes elkaar. Ik zette mijn handen tegen zijn borst. 'Flikker zelf op, man,' zei ik.

Zijn reactie was behoorlijk flitsend voor iemand van zijn lichaamsbouw. Hij greep me bij mijn jack en duwde me met mijn rug tegen de muur. Ik voelde hoe sterk hij was.

'Wát zei jij?' zei hij zacht. 'Wát zei jij tegen mij?'

Op dat moment klonken stemmen van om de hoek, voetstappen in de gang. Dat leidde me af van wat ik wilde doen om me te verdedigen. Tegelijkertijd vernauwden Tazims ogen zich, hij trok me naar zich toe tot onze hoofden elkaar bijna raakten en smeet me toen met kracht van zich af voor ik ook maar iets kon doen. Ik klapte met mijn achterhoofd tegen de muur. De gang ontplofte. Ik zakte weg in een zwart gat zonder bodem.

Het eerste wat ik merkte toen ik mijn ogen weer opendeed en mijn hoofd bewoog was dat ik misselijk was en dat ik beter nog even kon blijven liggen. Het tweede was dat er heel ver weg - zo leek het, maar ik zag vlak naast me schoenen en de pijpen van een spijkerbroek - iemand stond die vroeg wat er was gebeurd. Ik tilde heel voorzichtig mijn hoofd iets op en de gang draaide om me heen. Er flitste een pijnscheut door mijn hoofd.

'Michiel?' Dat was iemand die wist wie ik was, een meisje. 'Wat is er? Waarom lig je hier?'

Ik draaide mijn hoofd iets naar links en keek omhoog. Het was Kaja. Ze was niet alleen.

'Ik waarschuw Remco even,' zei iemand achter haar. Remco was de conciërge.

Kaja hurkte naast me neer. Ik zag de bezorgde blik in haar ogen. Ik haalde diep adem en de misselijkheid trok zich iets terug.

'Ik ben gevallen,' zei ik moeizaam.

'Heb je pijn?'

'Mijn hoofd.' Ik probeerde het weer op te tillen. Het ging al iets makkelijker.

'Maar hoe kun je hier nou vallen?' Ze keek om zich heen.

'Wacht even.' Ik sloot mijn ogen. Ik had tijd nodig om te beslissen wat ik zou zeggen. Alles om me heen was nog nevelig en het gezicht van Tazim kwam en ging weer. De dreiging in zijn ogen stond me nog duidelijk bij. Ik moest bedenken wat ik zou zeggen. Er kwam iemand aan. Heel even dacht ik dat Tazim teruggekomen was maar toen hoorde ik de stem van Remco.

'Ik gleed uit, geloof ik,' zei ik tegen Kaja. Ik zou het niet over Tazim hebben, in ieder geval niet tegen de conciërge. Tazim was mijn probleem en dat zou ik zelf oplossen. Als ik weer recht op mijn benen stond. 'Of nee, wacht. Ik struikelde over de bovenste traptrede, dat was het. En toen viel ik met mijn hoofd tegen de muur.'

'Blijf rustig zitten, jochie.' Remco ging naast Kaja op zijn hurken zitten. 'Heb je ergens pijn?'

'Alleen als ik ademhaal,' zei ik stoer.

'Kun je gaan zitten?'

Ik knikte, niet te fanatiek, en kwam voorzichtig overeind tot ik met mijn rug tegen de muur zat. De gang bleef op zijn plek.

'Ben je misselijk?'

'Niet meer.'

Dat klopte. Ik had niet meer het gevoel dat ik over mijn nek zou gaan. Ik was alleen nog maar draaierig.

'Ik bel een dokter,' zei Remco.

'Dat hoeft niet,' zei ik en ik stond op. Nou ja, ik probeerde op te staan. De gang die er zo stevig en onwrikbaar uitzag begon opnieuw te draaien, steeds sneller en sneller, tot ik er absoluut geen controle meer over had. Voor de tweede keer ging ik van mijn stokje.

4

Ze brachten me met de auto van Remco naar de afdeling Spoedeisende Hulp van het Diakonessenhuis. Remco reed voorzichtig maar ik voelde mijn hoofd bij elke hobbel in de weg. Ik lag op de achterbank en op het uiterste hoekje van de zitting zat Kaja. Ze keek naar me, ze had aandacht voor me. Dat was dan weer prettig, zelfs onder deze omstandigheden, al was dit niet de manier die ik bedoelde, niet de manier waarop ze zich met me zou moeten bemoeien. Ze zat daar omdat ze ervoor moest zorgen dat ik bij een onverwachte stop niet van de bank donderde waardoor het allemaal nog veel erger zou worden. Ik was maar matig bij bewustzijn. Ik herinner me van die rit alleen maar dat Remco regelmatig over zijn schouder keek en vroeg of het nog ging. Dan zei Kaja dat het oké was. Ik zag een onuitgesproken vraag in haar ogen, alsof ze zich afvroeg wat ze van mijn ongelukje moest denken. Maar ze vroeg niets aan me.

In het ziekenhuis moesten we lang wachten. Ik zat op een lichtblauw stoeltje en wilde het liefst achterover leunen, met mijn hoofd tegen de muur, maar dat vond mijn hoofd niet goed.

'Waarom was je daar eigenlijk, bij die trap?' vroeg Remco op een gegeven moment. 'Volgens mij moest je bij wiskunde zijn in lokaal 166. Dat is heel ergens anders.'

'Verdwaald,' mompelde ik.

'Verdwaald?'

'Die school is net een doolhof.'

Meer wilde ik niet zeggen. Daar had ik mijn hersenen voor

nodig en die kon ik maar beter met rust laten. Dat kwam later wel weer.

In het ziekenhuis constateerden ze een hersenschudding maar ze konden er verder niets aan doen. Naar huis, rust houden - voorlopig plat dus - en ik moest het tijd geven. Als ik te snel weer opstond zou het allemaal nog veel langer duren.

En zo lag ik later die dag in bed, met de zonwering omlaag en mijn moeder - weggeroepen uit haar kantoorbaan - als een bezorgde werkbij om me heen.

In het begin hield ik me vooral bezig met slapen, of in ieder geval mijn ogen dichthouden, en voor de rest met naar het plafond kijken. Dat laatste leverde niets op maar slapen ging vanzelf en ik deed het meerdere keren per dag.

Ik had ruim de tijd om na te denken. Ik dacht na over Tazim. Over de dreiging en de woede in zijn ogen. Ik probeerde alvast te bedenken hoe ik hem zou terugpakken, zo breed als hij was. Michiel Bosroode, de jongen die niet over politiek nadacht, maar die de zoon van zijn fokking vader was, zou zich door niemand laten tegenhouden.

Kaja kwam regelmatig langs, in mijn gedachten dan. Ik zag de nadenkende blik in haar grijze ogen. Ik fantaseerde dat ze in het echt op bezoek zou komen. Dat ze naast mijn bed zou zitten en dat we elkaar aankeken. Het begin van iets moois, je wist maar nooit. Ze kwam niet.

En na een paar dagen begon ik me te vervelen.

'Dat is een goed teken, lieverd,' zei mijn moeder terwijl ze nog een glas appelsap op mijn nachtkastje zette. Ze zei het op een toon alsof ze een expert was op het gebied van hersenschuddingen. 'Dat betekent dat je weer opkrabbelt. Heb je al zin in bezoek?'

'Bezoek?' vroeg ik. 'Wie wil er nou bij mij op bezoek komen? Ik ken hier niemand.'

'Er heeft een jongen gebeld. Hij zei dat hij van school was.'

Ik dacht één belachelijk ogenblik dat het Tazim was die zijn werk wilde komen afmaken.

'Hij zegt dat hij Ref heet.'

'O, Ref.'

'Beetje rare naam, vind ik.'

'Ref is wel oké,' zei ik. 'Die mag komen.'

De volgende dag kwam hij oogverblindend binnen, in een rode broek en een felgele sweater en op lichtblauwe sportschoenen.

'Je ligt er slecht bij,' was het eerste wat hij tegen me zei.

'Dank je wel,' zei ik. 'Ik voel me meteen een stuk beter.'

Hij schoof een stoel bij, ging zitten en zei: 'Ik heb een vraag.'

'Als die maar niet te moeilijk is,' zei ik.

'Nee, het is een makkelijke vraag,' zei hij. 'Dat vind ik tenminste zelf.'

'Kom op dan,' zei ik.

'Ik hoorde van Kaja dat je over een traptrede bent gestruikeld en ik ben eens even op die plek gaan kijken.' Hij keek me aan en wachtte even. Ik wachtte en keek terug.

'Dan komt nu de vraag.' Hij fronste zijn wenkbrauwen. 'Hoe krijg jij het voor elkaar om over die trap te struikelen en dan met je achterhoofd tegen de muur te vallen?'

'Hè?' Die vraag had ik niet verwacht en ik keek hem verbaasd aan. 'Hoe bedoel je?'

'Dus je struikelde over de bovenste tree en voor je viel draaide je je nog even zo dat je met je achterhoofd tegen de muur terechtkwam. Dat kan niet, Michiel.'

Ik keek hem aan en wist niet wat ik moest zeggen.

'Daar had je iets beter over na moeten denken,' zei hij.

'Ik was een beetje in de war.' Ik probeerde een grijns maar ik was er niet zeker van dat die gelukt was. 'Gast, ik had een fokking hersenschudding, weet je nog? Ik was duizelig.'

Er stopte een vrachtwagen pal voor ons huis. Ref keek omlaag naar een man die uitstapte en meteen daarna, zo te zien zonder speciale reden, weer instapte.

'Gek,' zei hij. 'Waarom stapt hij nu weer in?' Ik keek ook. Ik wist het niet.

'Kijk,' zei Ref. 'Nu gaat hij er weer uit.' Hij wachtte nog even en keek toen weer naar mij. 'Nou?' vroeg hij. 'Wat is er gebeurd?'

'Ik werd opgewacht,' zei ik. Ik had geen zin om energie te verspillen met smoesjes. 'Door Tazim.'

'En toen?' Hij keek me ernstig aan.

'Hij hield me tegen. Hij zegt dat hij me haat. Achterlijk, maar ja.'

'Ik snap het wel,' zei Ref.

'Hè?' Ik fronste mijn wenkbrauwen. 'Sta jij nou opeens aan zijn kant?'

'Dat zeg ik niet. Ik zeg alleen dat ik het snap. Het heeft natuurlijk met je vader te maken.'

'Ja, Sherlock, zo stom ben ik nou ook weer niet,' zei ik. 'Maar dat is toch niet mijn probleem?'

'Volgens mij wel. Wat heeft Tazim trouwens gedaan?'

'Hij heeft me met mijn kop tegen de muur gesmeten. Wat dacht jij dan?'

Ref keek me nadenkend aan. 'Gesmeten?' zei hij.

'Ja, hij smeet me van zich af omdat er mensen aankwamen. Kaja in elk geval. Die anderen heb ik niet gezien.'

'Omdat je naar Kaja keek natuurlijk.'

'Ik had een hersenschudding zeg ik toch. Dan moet je niet met je hoofd gaan draaien.'

'En wat zegt zij?'

'Ze heeft niks gezien. Hij was al weg toen ze bij me kwamen. Niemand heeft het gezien.'

Misschien dacht Tazim dat hij ermee weg kon komen. Ik was benieuwd wat hij zou doen als ik weer op school was. Misschien zou hij me nog een keer opwachten. Ik verheugde me erop. Ik zou me niet meer laten verrassen. Ik zou mijn reputatie op mijn vorige school - Michiel Bosroode met zijn korte lontje - graag weer eens oppoetsen.

'Wat ga je nu doen?' vroeg Ref.

'Op mijn rug liggen en wachten tot ik beter word.'

'En je vader?'

'Die weet het niet. Die heeft wel wat anders aan zijn hoofd: de PNB namelijk.'

'Precies,' zei Ref. 'Dat bedoel ik.'

5

Ik bleef een week thuis, en toen ik daarna de school binnenkwam had ik het gevoel dat ik weer helemaal opnieuw moest
beginnen. Eerst maar eens de plattegrond van het gebouw uit
mijn hoofd leren, dacht ik. En Tazim in de gaten houden.
Op een dag, aan het eind van de les biologie, net voor de eerste
pauze, zei Waarsma tegen me dat hij me even wilde spreken.
Ik wachtte bij zijn bureau terwijl het lokaal leegstroomde.
Toen de laatste de gang op was gegaan deed hij de deur dicht
en kwam naar me toe.
'Hoe is de eerste tijd hier op school bevallen?' vroeg hij.
'O, wel goed,' zei ik.
'Het was een start met hindernissen, hè?' zei hij. 'Die hersenschudding die ertussen kwam, bedoel ik.'
'Ja,' zei ik. 'Dat was pech.'
'Ja.' Hij aarzelde een moment en zei toen: 'Moet je horen, Michiel. Ik ben je mentor, dus als er iets is of als je vragen hebt
kun je altijd naar me toe komen. Dat weet je toch, hè?'
Ja, dat wist ik. Daar was een mentor voor. Het was alleen een
beetje raar dat hij dat zo tegen me zei, behalve als hij dacht
dat er iets was. Ik zei niets en wachtte omdat ik vond dat hij
moest uitleggen waarom hij dat zo nadrukkelijk zei, maar dat
deed hij niet. Hij herhaalde alleen dat ik naar hem toe moest
komen als er iets was.
'Oké, Michiel, dat was het. Succes.' Hij keek naar de deur.
Toen ik buiten was keek ik om me heen of ik Tazim zag. Dat
deed ik voortdurend als ik niet in mijn lokaal was. Tazim zat

dan wel in een andere klas dan ik maar in de gangen, de aula en op het plein kon ik hem tegenkomen. Ik wachtte op het moment dat hij me nog eens zou uitdagen. Ik had mijn eigen actie in gedachten al vaak uitgevoerd: knal, knietje, nog een knal en dan de vraag: 'Nog meer?' Ik zag hem niet.

Aan de overkant van het plein stond Ref - met zijn kleding-keuze was het onmogelijk om niet op te vallen - met een paar gasten van mijn klas: Rafik en Jesper.

'Wat zei Waarsma?' vroeg hij toen ik bij hen was.

'Niks bijzonders,' zei ik. 'Hij vroeg hoe het ging.' Ik keek om me heen.

'Is er iets?' vroeg Rafik.

Ik zei dat er niks was terwijl ik me afvroeg wat híj van mijn vader en zijn PNB vond. Wacht maar, zei ik tegen mezelf. Wacht maar tot Zilvermunt over jihadgangers begint, dan merk je het vanzelf.

Maar op dat moment was er niets aan de hand en we hadden het over de gewone dingen: de meiden, de leraren, sport-schoenen en popmuziek, op ons gemak. Alles was normaal en na de pauze hadden we Engels van Van Grol, een grote man met een kalend hoofd en een vlezig, rood gezicht. Er waren leerlingen die als vanzelf baldadig werden als ze naar zijn les op weg waren. Er werden weddenschappen afgesloten, over wie er deze keer als eerste uitgestuurd zou worden. Van Grol eindigde zijn les maar heel soms met evenveel leerlingen als waarmee hij begon.

'Kies mij,' zei Rafik terwijl we door de gang liepen. 'Ik weet zeker dat ik eruit gestuurd word vandaag.' Rafik was een vro-lijke gast, die zat nergens mee.

'Hoe ga je dat doen?' vroeg Jesper.

'Met mijn phone, natuurlijk. Daar begin ik mee, en dan moet jij opletten, jongen. Zet je geld maar op mij.'

De sfeer werd jolig, en toen we het lokaal 162 naderden liepen we lachend tegen elkaars schouders te duwen en de meiden aan hun haar te trekken. In het lokaal aangekomen waren we zo melig als de pest. Van Grol stond met opgetrokken wenkbrauwen bij zijn bureau naar ons te kijken.

'Als de jongelui zo ver zijn?' zei hij, toen iedereen zat.

'We zijn er klaar voor, meneer,' zei Rafik. Hij was van plan direct de aanval in te zetten.

'Is dat zo, Assahraoui?' Van Grol noemde niet iedereen bij de achternaam maar Rafik onder andere wel. 'Ben jij opeens ergens klaar voor?'

'Altijd, meneer.'

'Nou, dat ik dat nog mag meemaken. Waar is je boek dan? En doe die headphone eens af.'

'Ja, meneer.' Rafik bleef tergend beleefd. Hij deed zijn headphone af en legde zijn boek voor zich op zijn tafeltje. 'Begint u maar.'

Je kon de provocatie proeven maar Van Grol kon er niets van zeggen. Van beleefdheid wint een leraar niet. Hij keek Rafik peinzend aan, haalde toen heel licht zijn schouders op en begon aan de les.

We deden allemaal braaf mee en keken van tijd tot tijd tersluiks naar Rafik maar die was net zo ijverig bezig als wij. Ik begon al te denken dat hij op andere gedachten was gekomen en helemaal niets van plan was toen ik opeens zag - en hoorde - dat hij zijn headphone weer had opgezet. Zijn hoofd ging op en neer in het ritme van het nummer dat hij op had staan. Ik hoorde Bruno Mars dwars door zijn headphone heen.

Uptown, Funk you up,
Uptown, Funk you up! Say whaa?
Het duurde even voor Van Grol het door had omdat hij op dat moment iets op zijn laptop aan het opzoeken was. Maar toen het plotseling stil werd was het duidelijk te horen. Hij keek verstoord op, automatisch en niet toevallig in de richting van Rafik.

'Assahraoui,' zei hij.

Rafik zat met zijn ogen dicht mee te funken en reageerde niet. Van Grol stond op en liep tussen de tafeltjes door naar hem toe. We keken toe, sommigen grijnzend, anderen alleen maar benieuwd. De spanning was te snijden en het was muisstil.

Alleen de voetstappen van Van Grol.

Uptown Funk you up! Say whaa?

Iemand die riep, op het plein.

Heel in de verte de sirene van een ambulance.

Met een driftig gebaar rukte Van Grol de headphone van Rafiks hoofd. Rafik had natuurlijk wel in de gaten gehad dat hij eraan kwam maar de acteerprestatie: iemand die zich te pletter schrikt, was geweldig. Hij schoot overeind, stootte zich pijnlijk tegen zijn tafeltje, riep: 'Kut!' en keek Van Grol aan. En toen kwam de climax. 'Wat doet u nóú?' zei hij verontwaardigd.

Dat stopte zelfs Van Grol, zij het maar heel even. Toen haalde hij diep adem en barstte los.

'Dat jij hier nog op school zit,' zei hij verbeten, 'dat is verspilde tijd.'

Rafik keek hem sprakeloos aan en zei niets.

'Verspilde tijd voor mij dan. Voor jou is het sowieso totaal nutteloos dat je hier bent.'

'Hoe bedoelt u?' zei Rafik moeizaam.

Wij waren de ademloze toeschouwers. Ik was diep onder de indruk van Rafiks toneelstukje. Een riskant toneelstukje ook nog want Van Grol was niet gewoon kwaad, hij was razend. Hij zag er zelfs uit alsof hij geweld ging gebruiken. Dat zou hij natuurlijk niet doen, zei ik tegen mezelf. Leraren mogen geen geweld gebruiken. Maar ik hoopte echt voor Rafik dat Van Grol zich dat op tijd zou herinneren.

'Dat komt hier maar binnen. Dat neemt maar een hoop plek in, en allemaal voor niks. Er komt niks van jullie terecht, absoluut niks.'

Jullie, zei hij.

'Sodemieter toch op. Denk je nou echt dat er ooit een diploma op jullie ligt te wachten? Echt? Zinloos, zonde van de moeite.'

Dat was een duidelijke voorzet en Rafik hoefde hem alleen nog maar in te koppen.

'Discriminatie,' zei hij.

'Eruit!' Van Grol ontplofte. 'Eruit, nú!'

Rafik schoof langzaam zijn stoel achteruit terwijl hij Van Grol bleef aankijken. Hij pakte zijn tas en liep langs hem heen naar de deur. Hij knipoogde heel even naar Jesper maar hij was niet alleen maar tevreden, hij was ook kwaad. Ik zag het aan zijn rug toen ik hem nakeek. Hij sloot de deur van het lokaal niet knalhard maar wel nadrukkelijk achter zich. Hij liet een stil lokaal achter. Van Grol was blijven staan bij het tafeltje van Rafik, nog geen twee meter bij me vandaan. Als hij op dat moment kleur zou zijn was er de keus tussen knalpaars en knalrood. Zijn armen hingen langs zijn lichaam, de vuisten gingen open en weer dicht. Zijn hoofd draaide van links naar rechts op zijn dikke nek, speurend naar medestanders van

Rafik. Maar iedereen keek strak voor zich uit en niemand maakte een geluid. Ik voelde onbegrip en verontwaardiging. De klas zette onzichtbaar en onhoorbaar zijn stekels op.

Van Grol had daar geen antenne voor. Hij liep terug naar zijn bureau en toen hij even met zijn rug naar ons toegekeerd was keek ik snel opzij, naar Bouchra en Samiha, die in de rij naast ons zaten. Het was niet nodig om goed te kunnen liplezen om te zien wat Samiha, met haar lange, krullende haar en haar felle ogen, onhoorbaar zei.

'Van Grol, ik haat jou.'

6

Toen ik bij mijn fiets stond was Kaja er ook net.

'Waar woon jij?' vroeg ze.

'In noord,' zei ik.

'O, jammer. Dan moet ik de andere kant op. Anders hadden we samen een eind op kunnen fietsen.'

'Ja, jammer,' zei ik. Ik overwoog even om tegen haar te zeggen dat ik best een eind om wilde rijden maar dat deed ik toch maar niet.

'Hoe is het met je hoofd?' vroeg ze.

'Geen centje pijn meer,' zei ik. 'Onverwoestbaar, Michiel.'

'Gelukkig maar.' Ze lachte. 'Nou, tot morgen dan maar.'

'Ja, tot morgen.' Ik keek haar in gedachten na toen ze het gangetje naar de straat in liep met haar fiets en ik floot een onduidelijk liedje toen ik zelf ook op weg was. Het leven op het Augustinuscollege begon steeds leuker te worden.

In de loop van de middag was er een forse wind opgestoken. Zo nu en dan waaide een regenvlaag in mijn gezicht terwijl ik naar huis fietste. Boven mijn hoofd buitelden meeuwen krijsend door de grijze lucht. Het asfalt van de Nobelstraat glom van de regen.

Fijn, dat Nederlandse klimaat, Hollandser kon het niet.

Ik haalde een moeder op een bakfiets met twee kleumende kinderen voor haar neus in toen ik een stukje voor me uit mijn vader samen met een voor mij onbekende man uit een restaurant aan de overkant zag komen. Ze hadden allebei een koffertje bij zich en zagen eruit als zakenmannen die met zijn tweeën een eetvergaderingetje hadden gehad. Op het trottoir voor het restaurant namen ze afscheid. De onbekende man liep weg in de richting van de schouwburg en mijn vader stak over naar het Janskerkhof, waar zijn auto stond.

Er kwam van de andere kant een stelletje jongens aanlopen, Marokkaanse jongens volgens mij, van een jaar of achttien. Ze namen de volle breedte van het trottoir in beslag. Ze zagen er niet uit of ze voor mijn vader aan de kant zouden gaan. Ik reed langzaam verder zodat de moeder met de bakfiets me weer inhaalde en keek toe zonder te weten wat er zou gebeuren. Ik was opeens vreemd gespannen, alsof ik een voorgevoel had.

Mijn vader hield de pas in, net als de groep tegenover hem. Toen stonden ze allemaal stil. Ze keken naar hem en een van hen zei iets. Of mijn vader iets terug zei zag ik niet en horen kon ik het natuurlijk ook niet. Toen gingen ze opzij terwijl de middelste jongen een overdreven buiging maakte. Mijn vader liep door. Ik zag dat hij zijn hoofd tussen zijn schouders trok alsof het opeens harder begon te regenen. Een jongen riep hem iets na wat ik niet kon verstaan maar het harde geluid van zijn stem weerkaatste tegen de gevels van de winkels. Ze keken hem na terwijl hij, een stuk sneller dan eerst, doorliep. Het zag eruit als een vlucht, al was er eigenlijk niets gebeurd. De jongens liepen verder en keken nu en dan lachend achterom. Ze passeerden me zonder me een blik waardig te keuren. Ik kende er niet een van.

Mijn vader was bij zijn auto aangekomen. Hij keek niet op of om toen hij instapte. De auto reed met piepende banden weg. Er was een toneelstukje opgevoerd en de spelers verlieten het podium. Mijn vader was tijdens de uitvoering niet de succesvolle politicus geweest die hij zo graag wilde zijn. Hij had er bang uitgezien, weerloos, en een stukje kleiner dan anders.

Toen ik hem thuis weer tegenkwam was daar niets meer van te zien en de dagen daarna ook niet. Hij was een groot gedeelte van zijn tijd in de weer met het organiseren van bijeenkomsten, flyeracties en het discussiëren met mensen op straat. Op de bijeenkomsten sprak hij over het onderwerp waarvan hij in de Tweede Kamer de woordvoerder was: het milieu. Niet precies wat je zou verwachten van iemand die bij de belastingen had gewerkt.

Als we een enkele keer allemaal samen thuis waren gingen de gesprekken hoofdzakelijk over de verkiezingen. Nee, 'gesprekken' is niet het goede woord. Mijn vader was aan het woord en wij luisterden, of we deden alsof. Ik wel tenminste. Saartje leefde op die momenten in haar eigen wereldje. Mijn moeder keek bijna onafgebroken naar mijn vader als hij aan het woord was. Ik kon aan haar gezicht niet zien of ze hem nou bewonderde of niet. Ze zei niets terug. Maar ja, mijn vader lette daar helemaal niet op, die zat helemaal in zijn visioen van een land met de PNB als grootste partij. En natuurlijk droomde hij ook van zijn eigen rol die hij dan zou gaan spelen.

Op een dag, zo'n anderhalve week later, kwam hij hyperventilerend van enthousiasme de kamer in. Hij gooide zijn koffertje met belangrijke papieren op een stoel en zei triomfantelijk: 'Ik kom op de televisie.'

Het was even stil.

'Bij *Ranking the Stars*?' vroeg ik. '*The Voice*?'

'Grapjas,' zei hij. 'Bij Siem Hardeman, vanavond.'

Aan het eind van elke werkdag keken gemiddeld anderhalf

miljoen mensen naar *Hardeman*, een praatprogramma over verschillende onderwerpen, waaronder politiek. Niet dat ik daarnaar keek trouwens. Te laat en te saai.

'Heleen heeft griep.' Mijn vader zei het op een toon alsof dat het fijnste was wat er had kunnen gebeuren, dat zijn lijsttrekker griep had gekregen. 'Ik val voor haar in. Het gaat over terreurdreiging.'

Ik keek op mijn telefoon zonder er iets mee te doen. Dat ging natuurlijk over de aanslag van laatst. Terroristen hadden er op een markt in Barcelona een bloedige puinhoop van gemaakt. Ik dacht somber aan het risico dat hij dingen ging zeggen waardoor ik op dan op school weer problemen zou krijgen.

'Ik zal het ze eens even vertellen,' zei mijn vader enthousiast. 'Die dreiging is veel groter dan de regering zegt, het komt steeds dichterbij. Dat zal ze leren met die slappe houding van ze.'

'Wat wil jij daar dan aan doen?' vroeg ik, tegen mijn gewoonte in.

'Ze lopen hier toch ook rond, jongen,' zei hij vaderlijk. 'We moeten veel beter om ons heen kijken, veel harder optreden. Oppakken die gasten. Het land uit.'

'En dan?' vroeg ik ook nog. Niet dat ik een discussie wilde, ik was gewoon nieuwsgierig.

'Kijk nou vanavond maar naar de uitzending,' zei hij. 'Ik ga nu op ziekenbezoek bij Heleen. Duidelijk afspreken hoe ik het ga aanpakken.' Hij wreef in zijn handen. 'Ja. Ik ga ze het eens even vertellen,' zei hij nog een keer voor hij de kamer uit ging. Misschien ging Heleen hem wel aansteken, dacht ik. Besmetten met een hevige griep.

Mijn moeder en ik keken elkaar aan. Ik kon zoals gewoonlijk

niet zien wat ze ervan dacht. Saartje deed helemaal nergens aan mee. Ze had alleen maar aandacht voor de game op haar tablet. Ik stootte haar aan, en zei: 'Hé, je vader komt op de tv.' Ik stoorde haar in haar spel en ze keek me niet begrijpend aan. 'Dan is ze allang naar bed,' zei mijn moeder. 'En het is ook helemaal niet interessant voor haar.'

Saartje had haar aandacht alweer bij haar spel toen de voordeur werd dichtgetrokken. Even later hoorde ik het starten van de auto.

Hij ging het ze even vertellen.

Die avond zat ik toch voor de televisie. Niet omdat ik vond dat Siem Hardeman een interessant programma had maar omdat ik wilde weten wat mijn vader ging zeggen. Toen het begon zat ik te barsten van de slaap maar het moest maar even. Gelukkig zat hij in het begin van de uitzending.

Siem Hardeman heette zijn gasten hartelijk welkom. Behalve mijn vader waren dat een terreurdeskundige, een schrijver en twee deelnemers aan *Boer zoekt vrouw*. Toen was het tijd voor terreur. Het begon met een vraag aan de deskundige. Een vraag die ik zelf ook had kunnen bedenken, namelijk 'wat er nu moest gebeuren'. De deskundige zei iets onduidelijks over zoeken naar de oorzaak van terreur, en toen vroeg Siem aan mijn vader wat híj ervan vond. Ik zette me onwillekeurig schrap voor het antwoord toen er iets heel anders gebeurde. Mijn vader was vol in beeld en ik zag op zijn voorhoofd een vage glans van zweet. Hij was zenuwachtig. Maar hij dook in elkaar, als een dier dat zich gereedmaakte voor de sprong. 'Ik wil eerst iets anders zeggen,' zei hij. 'Ik ben namelijk ernstig bedreigd, in mijn eigen woonplaats.'

Ik ging verrast rechtop zitten. Alweer? Siem Hardeman was net zo verbaasd als ik. Dit hadden ze niet afgesproken van tevoren, dat zag ik. Ik keek snel opzij naar mijn moeder en zag dat haar mond iets openhing.

'Ik kwam in de Nobelstraat uit een restaurant,' zei mijn vader. 'Na een lunchmeeting. Ik liep naar mijn auto die een eindje verderop stond toen er een groepje Marokkaanse jongens naar me toe kwam.'

'Marokkaanse jongens?' vroeg Siem Hardeman. 'Weet u dat zeker?'

'Ja, heel zeker,' zei mijn vader. 'Die herken ik meteen.'

'En wat gebeurde er toen?'

'Ze sloten me in, duwden tegen me aan en uitten bedreigende taal.'

Uitten bedreigende taal, dat klonk alsof hij dat uit zijn hoofd had geleerd, alsof hij zich daarop had voorbereid. Zijn verhaal klopte alleen niet. Die gasten hadden hem niet aangeraakt.

'Ik kon er een opzij duwen en ervandoor gaan. Ik heb moeten rennen voor mijn leven.' Hij balde zijn vuist die op de tafel lag. 'Ze kennen mijn gezicht natuurlijk ook. Ik wil zo snel mogelijk beveiliging. Ik ben het nu echt zat!'

Hij was klaar.

'Hebt u aangifte gedaan?' vroeg Siem Hardeman.

'Ik moest hierheen, dus ik had daar geen tijd voor. Maar ik ga dat zeker doen.' Hij leunde achterover, voldaan zo te zien.

'Tja,' zei Siem Hardeman. 'Goed. U hebt uw punt gemaakt. Maar nu wil ik graag terug naar het onderwerp, het mogelijk voorkomen van terreur.'

Ik luisterde daar al niet meer naar. Ik keek naar mijn moeder en vroeg: 'Wist jij dat?'

'Nee,' zei ze. Ze was wit weggetrokken van de schrik. 'Ik heb hem vanmiddag ook niet meer gesproken.'

Ik geloofde geen bal van zijn verhaal. Dat zou wel erg toevallig zijn: nog een keer naar dat restaurant en wéér een groep Marokkanen tegengekomen.

'Hij ging helemaal niet naar een restaurant,' zei ik. 'Hij ging naar Zilvermunt.'

'Misschien hadden ze daar afgesproken,' zei ze.

'Zilvermunt heeft griep, ma. Die zit gewoon thuis.'

'Ik snap er niks van,' zei ze. 'Helemaal niks.'

'Ik heb het...' Ik heb het zelf gezien, wilde ik zeggen. Maar ze zat weer te luisteren en gebaarde dat ik stil moest zijn.

Ik stond op omdat ik het alweer helemaal had gehad.

'Wil je het niet zien?' vroeg ze.

'Dat liedje ken ik al uit mijn hoofd,' zei ik. 'Ze moeten ze oppakken en het land uitzetten. Dat heeft hij thuis al vaak genoeg gezegd.'

Ik ging de kamer uit. Shitzooi! Een beetje het slachtoffer uit gaan zitten hangen en de Marokkanen de schuld geven. Ja, ze hadden heel even net gedaan alsof ze hem tegen wilden houden. Maar ze waren opzij gegaan. Ze hadden hem alleen maar uitgelachen, meer niet. Hij had helemaal niet hoeven rennen voor zijn leven. Ik zag weer hoe hij, nogal angstig, naar zijn auto was gelopen. Maar er was totaal geen reden voor angst. Achter het woord 'vader' stond opeens een groot vraagteken.

'Achterlijk,' mompelde ik toen ik op mijn kamer was. Dat had hij natuurlijk uit zitten dokteren, samen met Heleen met haar grieperige kop.

Daar gingen ze het over hebben morgen, op school.

7

Maar de leerlingen van mijn school, van geen enkele school denk ik, kijken dus niet massaal naar Siem Hardeman. Dat merkte ik de volgende dag en ik had het al kunnen bedenken. Dat deden ze net zomin als ik, behalve gisteren dan. Niemand zei er iets over, ook Ref niet. Gek genoeg was dat toch een lichte teleurstelling. Ik had de uitdaging wel aan willen gaan, al had ik nog niet precies bedacht wat ik zou zeggen.

Mijn vader had ik niet meer gesproken, die was bij iemand blijven slapen. Daar was ik ook nog over aan het nadenken, wat ik tegen hem zou zeggen. Een hoop denkwerk waar ik niet om had gevraagd. Zou ik zeggen dat ik teleurgesteld was? Dat het me van hem tegenviel? Misschien moest ik alleen maar zeggen wat ik had gezien en dan afwachten wat hij zou zeggen. Mijn vader ter verantwoording roepen, niet normaal.

Ik ging de trap af aan het begin van de pauze. Leerlingen die ik passeerde hadden het over de belangrijke dingen van het leven: ruzies, games, leuke jongens, mooie meiden. Er was niemand die op me lette. Misschien keken ze me na. Nou dat deden ze dan maar.

Toen ik buiten was keek ik rond of ik Kaja zag. Gewoon, een praatje maken, de vriendschap een beetje aanhalen. Maar er kwamen vrijwel direct twee jongens naar me toe, alsof ze op me hadden staan wachten. Jongens uit een andere klas. Hun gezichten had ik wel een keer gezien maar ik wist hun namen niet. Ik zette me schrap.

'Jij bent toch Michiel?' vroeg een van hen.

'Ja.' zei ik. Dat kon ik natuurlijk niet ontkennen.

'Jouw vader was gisteren op tv, toch?'

'O ja, joh?' zei ik. 'Bij Sesamstraat?'

'Ja, je weet het heus wel,' zei de jongen. 'Ik heb het zelf niet gezien maar mijn vader en moeder en mijn broer zeggen dat hij helemaal gelijk heeft.'

Ik keek de jongens een voor een aan. 'Hij is alleen maar mijn vader,' zei ik. 'Meer niet.'

'Moet je horen.' De jongen kwam een stap dichterbij. 'Hij was toch aangevallen? Gisteren?'

'Bedreigd,' zei ik. 'Volgens hem zelf dan.'

Op dat laatste reageerde de jongen niet. 'Je staat niet alleen,' zei hij. 'Als jij in de problemen komt zijn wij er. Snap je?'

Ik dacht wel dat ik het snapte maar ik zat niet op hem te wachten. 'Dat is niet nodig, hoor,' zei ik. 'Ik kan heel goed voor mezelf zorgen.'

'Je weet nooit,' zei hij. Hij stak zijn hand uit. 'Ik ben Christiaan en dit is Maxiem.' Hij keek naar de andere jongen. Die knikte alleen maar en zei niets.

'Christiaan en Maxiem,' herhaalde ik terwijl ik de uitgestoken hand negeerde. 'Nou, ik zal het onthouden.' Ik draaide me om.

'Er zijn er veel te veel van,' zei Christiaan nog, zonder te zeggen of hij moslims of bijvoorbeeld duiven bedoelde. 'Wij staan aan jouw kant.'

Nou, dat was fijn. Als ik problemen kreeg kon ik kiezen tussen twee hulpdiensten: Waarsma, mijn mentor, en een jongen die Christiaan heette. Een jongen die ik niet kende en die zijn hulp aanbood zonder dat ik hem daarom gevraagd had. Ik schudde mijn hoofd terwijl ik bij hen vandaan liep omdat ik verderop iets zag dat groen en geel was: Ref.

'Ga vanmiddag met me mee naar huis,' zei hij toen ik bij hem was. 'Ik zal je laten horen wat ritme is.'

Bij hem thuis kwamen we in de gang zijn oudere broer Sil tegen. Hij was groot en zag er sterk uit. Hij keek me zo onderzoekend aan dat ik onwillekeurig het gevoel had dat ik me moest verdedigen.

'Zo, dus jij bent Michiel,' zei hij. Het leek op een keuring, op de markt.

'Ja, klopt,' antwoordde ik met vaste stem, niet van plan om me te laten intimideren.

'Ik heb van je gehoord,' zei hij. Ik keek even opzij. Als die broer van me had gehoord moest Ref dat verteld hebben. Hij zei niets.

'Michiel,' zei Sil. 'Een echte Hollandse naam. Michiel de Ruyter was de held van het volk, de redder van het vaderland. Dat soort gasten hebben we nodig, of niet?'

'Laat hem met rust, Sil.' Ref keek streng omhoog, naar zijn broer. Die lachte en legde een hand op Refs hoofd. 'Goed, kleintje,' zei hij. 'Gaan jullie maar fijn spelen.' Hij ging de kamer in.

'Sil is geïnteresseerd in politiek,' zei Ref, alsof dat alles verklaarde. 'Niks van aantrekken.'

Ik keek naar de dichte deur. 'Heb je over me verteld?' vroeg ik.

'Alleen maar dat je een nieuwe leerling bent en waar je vandaan komt. Wie je bent, meer niet. Mocht dat niet?'

'O, jawel,' zei ik. 'Ik moet er alleen nog aan wennen dat ik een bekende Nederlander aan het worden ben. En ik dóé helemaal niet aan politiek.'

'Politiek is vogelgefladder,' zei Ref terwijl we op weg waren naar zijn kamer, boven.

Ik had nog ongeveer zeven treden om die opmerking tot me door te laten dringen, en toen we in zijn kamer waren vroeg ik: 'Vogelgefladder?'

'Mussen, merels, pimpelmezen, kraaien, duiven. Ze fladderen door elkaar heen en ze luisteren alleen naar hun eigen soort.'

'Juist ja,' zei ik.

'En dat schiet dus niet op.'

'Doe jij ook aan politiek?' vroeg ik.

'Gast, nee,' zei hij, al dacht ik dat hij even aarzelde. 'Dacht je dat?'

'Nou ja...'

'Ik denk er wel over na maar dat betekent niet dat ik er ook aan doe.'

'Gelukkig maar,' zei ik.

'Alleen heb jij een probleem natuurlijk.' Ref veegde een pluisje van zijn bureau.

'Nee, nou is het mijn schuld,' zei ik.

'Dat zei ik niet. Jij hebt het probleem van je vader. Of nee, jouw vader is jouw probleem, dat bedoel ik.'

Daar was Ref wel goed in: in een paar woorden zeggen waar het om ging. En hij had het goed gezien: mijn vader begon mijn probleem geworden. Niet door drank of mishandeling of iets dergelijks maar door de PNB.

'Maar daar gaan we het niet over hebben,' zei hij. 'Ik ga je laten horen wat ritme is.' Hij nam me mee naar een kleine kamer tegenover de zijne. De muren waren bedekt met schuimrubber platen. In het midden stond een stellage: een elektronisch drumstel.

'Kijk goed,' zei Ref. 'Dit is het middelpunt van de wereld.'

Ik kende hem inmiddels goed genoeg om niet meer op te kijken van zulke uitspraken. 'Ik begrijp het,' zei ik, en hij knikte tevreden.

'Laat eens wat horen.'

Hij ging zitten op een kruk tussen de vier ronde en twee driehoekige schijven. Via een klein bedieningspaneel sloot hij de versterker aan, pakte drumstokken en ging er in een razend ritme vandoor terwijl hij met zijn voet de pedaal van de basedrum bediende. Al het geluid kwam uit een grote box naast hem.

Ik moet zeggen dat ik behoorlijk onder de indruk was. Ik stond naar hem te kijken en zag dat zijn blik dromerig werd. Het leek of hij er niet echt bij was. Maar de verschillende ritmes volgden elkaar op en ik wist dat hij zijn best deed om zo goed mogelijk duidelijk te maken hoe goed hij was.

Toen hij stopte zei ik: 'Nu begrijp ik het helemaal.' En toen hij me vragend aankeek: 'Van die ritmes.'

Hij wist niet meer dat hij dat had gezegd. Het had alweer plaatsgemaakt voor heel andere dingen. Die gedachten van hem sprongen als vlooien heen en weer, en ik vroeg me weleens af of hij daar niet doodmoe van werd. 'Je bent echt goed,' zei ik.

Hij incasseerde het compliment geroutineerd. 'Je moet het in je hebben,' zei hij. 'Anders wordt het niks.'

Mijn korte ontmoeting met zijn broer draaide nog rondjes in mijn hoofd en ik vroeg: 'Die broer van jou, die aan politiek doet, wat vindt die van de PNB?'

'Hij heeft het er weleens over en dan luister ik.' Hij schakelde de versterker uit. 'Niet altijd natuurlijk. Als je áltijd naar je grote broer luistert word je zelf nooit een grote jongen.'

'En wat zegt hij dan? Als je luistert?'

'Hij zegt dat hij er ziek van wordt. En als hij ziek genoeg is wordt hij heel erg kwaad.'

Ik haalde het gezicht van Refs broer even voor me. Een niet onvriendelijk gezicht, hooguit onderzoekend. Hij wist dus wie mijn vader was maar hij had er niet ziek uit gezien of kwaad. Misschien gaf hij me het voordeel van de twijfel. Omdat ik de vriend van zijn broer was

'Wat vind jij eigenlijk van de PNB?' vroeg ik.

Hij wachtte even met antwoorden. Ik hield mijn adem in omdat hij tot dan toe niet had gezegd wat hij ervan vond, en daarom zou dit wel eens een belangrijk moment kunnen zijn. 'Ik weet het meeste van Sil,' zei hij. 'Dus dat is maar één kant.'

'Ja, maar wat vínd je ervan?'

'Nog niet zoveel. En jij?' Hij hield zich op de vlakte.

'Ik vind er helemaal niks van,' zei ik.

'Maar je hebt er wel last van.' Hij gooide een drumstok omhoog en ving hem weer op.

'Dat is niet mijn schuld,' zei ik.

'Wil je dan niet weten of je vader gelijk heeft?' vroeg hij. 'Of Tazim? Misschien heeft Tazim wel gelijk.'

Dat vond ik een onverwachte, vreemde gedachte en ik keek hem vragend aan. 'Meen je dat nou?' vroeg ik.

'Tja.' Hij haalde zijn schouders op. 'Als je het niet weet weet je het niet.'

Daar was geen speld tussen te krijgen.

's Avonds op mijn kamer zocht ik op mijn iPad de site van de PNB. Ik ging een onbekend huis binnen zonder dat ik was uitgenodigd.

Ik las dat ze tegen te hoge salarissen voor topambtenaren

waren. Dat leek me wel goed. En ze wilden meer geld voor de zorg, ook prima. Ze wilden dat op radio2 minimaal 30% liedjes met Nederlandse tekst te horen waren, belachelijk idee. Ze waren tegen windmolens, ja hoor. Milieu, weleens van gehoord?

En vooral minder islam, minder moskeeën, minder asielzoekers. Als ik aan Tazim dacht was ik het daar mee eens. Maar Rafik bijvoorbeeld was weer een ander verhaal.

Toen ik nog even naar beneden ging zag ik dat mijn vader zowaar thuis was. Mijn moeder was ook in de kamer en ik stelde mijn vraag over die Marokkaanse jongens nog even uit.

'Als jij nou volgende week mocht meedoen aan de verkiezingen,' vroeg hij opeens aan me. 'Op welke partij zou je dan stemmen?'

Ik zei dat ik geen flauw idee had en hij keek me teleurgesteld aan. 'Het is misschien geen gek idee om daar eens over na te denken,' zei hij. 'Je moet weten wat er speelt.'

'Ik mág niet stemmen,' zei ik. 'Daar ben ik gelukkig nog te jong voor. Nadenken doe ik wel als het zover is. Welterusten.'

Ik ging de kamer uit. 'Ik ben wel vóór windmolens,' zei ik nog, voor ik de deur achter me dicht deed.

Het voelde als een kleine opstand.

8

De Kamerverkiezingen waren op school niet echt een onderwerp van gesprek. Het spandoek dat in de aula tegen de muur hing was dan ook een totale verrassing voor me. Ik had wel gemerkt dat in de gang een paar klasgenoten een beetje lacherig naar me hadden gekeken maar ik had geen flauw idee waarom.

Dat zag ik nu dus.

Spandoek was een te groot woord. Het was een wit laken dat met slordige zwarte letters beschilderd was:

PNB DOOR DE PLEE

VAN BOVEN NAAR BENEE!

Er stond een groepje jongens voor, en daar was Tazim ook. Ze vonden het wel een lollige tekst, hoorde ik toen ik dichterbij kwam. Ik ging direct in de aanval.

'Heb jij dat opgehangen?' vroeg ik aan Tazim.

Hij keek om zich heen, misschien om te zien of ik hulptroepen bij me had, maar ik was alleen en hij leek er verbaasd over.

'Jij durft,' zei hij.

'Ik ben voor niemand bang.'

Het werd stil om ons heen en de spanning was voelbaar. Alleen meters bij ons vandaan murmelden de gesprekken verder.

'Ik los mijn eigen problemen op,' zei ik. 'Ik heb geen leraren nodig.' Zo, dat maakte duidelijk dat ik niet meteen bij iedereen ging lopen janken, ook niet als ik met mijn hoofd tegen de muur was gesmeten. 'Zo'n lafaard ben ik niet.'

Hij zette zijn tanden in zijn onderlip. Ik zag aan hem dat hij zich al een tijd had afgevraagd waarom ik niet was gaan klagen bij de schoolleiding. Toen keek hij weer naar het doek aan de muur.

'Ik heb het niet opgehangen maar ik ben het er wel mee eens,' zei hij.

'Gaat dit nou over mijn vader of over mij?' vroeg ik.

'Hé, Bosroode.' Er stapte een jongen naar voren. 'Een zoon is net als zijn vader, je weet toch?'

'Fok op, gast,' zei ik kwaad. 'Je kent mijn vader niet en je kent mij niet.' Ik zag hoofdzakelijk vijandige gezichten om me heen maar ik liet me niet bang maken en ik deed een greep naar het witte laken. Iemand, ik zag niet wie maar het was Tazim niet, greep me bij mijn arm en trok me achteruit.

'Hou je poten thuis,' zei ik, terwijl ik naar achteren sloeg. Ik voelde dat ik iemand raakte. Ik rukte me los en op dat moment hoorde ik een bekende stem: Van Grol.

'Kappen!' zei hij. 'Wat is dit?'

Ik keek hem aan. 'Niks,' zei ik. 'Een beetje onenigheid.'

'Zo zag het er niet uit.' Hij keek naar het spandoek en toen naar mij. 'Heb jij dat opgehangen?'

'Ik wou het er juist afhalen,' zei ik.

'En jij?' zei hij tegen de jongen die me had willen tegenhouden, een kleine Marokkaanse jongen met een kwaad gezicht, die zijn hand tegen zijn kaak hield.

'Ik wou hem helpen,' zei hij.

Om ons heen werd gelachen. Tazim grijnsde en ik ook.

'Had dat dan gezegd,' zei ik.

Daar kon Van Grol helemaal niks mee. 'Kom maar mee allebei,' zei hij, en hij ging ons voor - een slagschip met twee mijnenvegertjes - naar het kantoortje van de onderdirecteur. Achter ons zwollen de gesprekken weer aan maar ik kon niet meer verstaan wat er werd gezegd. Ik had een voldaan gevoel. Ik had laten zien dat ik me niet liet wegzetten.

De conrector heette Barkvaarder. Hij was een man met een rechte scheiding in zijn haar en een bril met rechthoekige glazen. Een van de dingen waarover hij ging was de orde in het gebouw, vooral tijdens de pauzes en de leswisselingen. We wachtten op de gang terwijl Van Grol binnen was om te vertellen wat er was gebeurd. Ik keek naar de jongen naast me en kreeg een vuile blik terug. Ik had hem flink geraakt, en hij mocht van mij zo vuil kijken als hij wilde. Ik was niet onder de indruk. Herrieschoppertje. Opdondertje.
We werden binnengeroepen en Van Grol vertrok weer, met een laatste nadenkende blik op mij. Toen stonden we voor het bureau van Barkvaarder.
'Wat was dat?' vroeg hij. 'Vechten?'
'Nee meneer.' Ik schudde mijn hoofd. 'We waren het alleen niet eens.'
'Over een spandoek, begrijp ik,' zei hij. 'Tegen een politieke partij. Wie heeft dat daar opgehangen?'
We haalden allebei onze schouders op. 'Dat weten we niet,' zei ik. 'Ik wou het weghalen.'
'Hm.' Hij zei even niets. Ik vermoedde dat hij inmiddels al wel wist wie ik was. Hij keek naar de jongens naast me. 'Nourdin,' zei hij. 'Dus jij hebt niets met dat spandoek te maken?'
'Nee, meneer,' zei Nourdin. Beleefde jongen.
'Hou voortaan je gemak,' zei Barkvaarder. Hij wuifde Nourdin weg. Tegen mij zei hij: 'Jij blijft nog even hier.'

Ik bleef tegenover hem staan, en hij keek me peinzend aan.

'Michiel Bosroode, hè?' zei hij.

'Jij wilde dat spandoek weghalen?'

Ik knikte.

'Waarom?'

'Het is een lelijk spandoek,' zei ik.

Hij kuchte even. 'Luister Michiel,' zei hij toen. 'Ik snap dat je in een lastige situatie zit...' Hij wachtte, misschien om te horen of ik het daar mee eens was, maar ik zei niets. 'Vanwege je vader bedoel ik,' ging hij, nogal onhandig, verder.

Ik keek naar zijn dunner wordende haar, naar de vlekken op zijn brillenglazen en zijn op en neer wippende adamsappel als hij slikte. 'Mijn vader is geen probleem,' zei ik. 'Dat maken anderen ervan.'

'Het gaat mij erom dat er rust heerst in de school.' Hij kuchte weer. 'Begrijp je?'

Ik zei dat ik het begreep. Het ging hem niet om mij maar om de orde en rust in de school.

'Misschien moet ik eens met je vader praten.'

Mijn vader hier op school, dat vond ik een bijzonder stom idee. Dat zou wel eens slecht voor de rust kunnen zijn. 'Ik wil niet dat hij op mijn school komt,' zei ik. 'Kunt u mijn vader niet bellen? Of appen?' Ik kon er niets aan doen maar ik begon baldadig van hem te worden.

'We gaan geen grappen maken,' zei hij stijfjes, terwijl hij op zijn horloge keek. 'Het is het beste dat je de problemen niet opzoekt. Ga niet provoceren. Ik hou het in de gaten.' Hij maakte een hoofdbeweging in de richting van de deur.

Ik slikte van alles wat ik zou kunnen zeggen in en ging de gang op.

Hij zocht het maar uit.

Eikel.

De gangen en de aula waren inmiddels zo goed als leeg en het anti-PNB-spandoek was weggehaald. Christiaan en Maxiem stonden op me te wachten. Dat kon er nog wel even bij.

'Wil je dat we uitzoeken wie het heeft gedaan?' vroeg Christiaan samenzweerderig. 'Dat spandoek?'

'Nee,' zei ik. 'Waarom?'

'Je moet weten wie je vijanden zijn.' Hij keek om zich heen.

'Ik heb volgens mij geen vijanden,' zei ik. Ik dacht toch dat ik duidelijk had laten merken dat ik geen zin had in hun vage gezelschap, maar ze bleven aan me plakken.

Irritant, als opkomende blaren op een voetzool.

9

Daniël Blanchard was schrijver en journalist. Hij schreef columns voor het Frans-Belgische weekblad *Realité*. Hij was geen liefhebber van godsdiensten en die kregen er bij hem regelmatig van langs. De laatste paar weken was het vooral de islam die onder vuur lag. Radicale moslims in het Midden-Oosten terroriseerden de bevolking en dreigden dat ze het Westen zouden aanvallen.

Op een maandagmorgen zat hij met een paar vrienden op een terras van een café in Namur. Een kleine auto reed stapvoets langs het café terwijl het achterraampje werd opengedraaid. Met een pistoolmitrailleur werd het terras onder vuur genomen. Er ontstond een totale chaos van oorverdovend geluid, omvallende tafeltjes en versplinterde ruiten. Mensen vielen of doken weg.

Het duurde niet langer dan een kwart minuut, waarna de auto met gillende banden wegreed. Even heerste er een griezelige stilte die alleen werd verbroken door het kreunen van gewonde slachtoffers. Toen mensen ten slotte weer tevoorschijn durfden te komen vonden ze, in het centrum van de aanval, de lichamen van Blanchard en zijn vier vrienden. Ze waren alle vijf dood.

Ik zat op dat moment op school en daar hoorde in eerste instantie niemand over de aanslag. Het zou kunnen dat er een enkeling was die het nieuws tussen de lessen door op zijn smartphone had meegekregen. Hoewel, nieuws, daar had je je telefoon niet voor.

Pas in de middagpauze hoorde ik er voor het eerst over. In een hoek van het plein stond een stel jongens met verhitte koppen tegenover elkaar. Hun stemmen klonken overal bovenuit en dat trok toeschouwers. Ref, Kaja en ik stonden er niet ver vandaan. Kaja had me inmiddels bij haar aan laten sluiten, gewoon, als klasgenoot. Het was een begin.

Het gesprek in de hoek klonk naar ruzie. Ik deed nieuwsgierig een paar stappen in hun richting. Ik zag dat Rafik erbij stond. Die Christiaan stond er ook met zijn vriendje.

'Het was gewoon nep, jongen!'

'Hoezo, nep? Hij is doodgeschoten.'

Doodgeschoten? Ik kwam nog iets dichterbij, ondanks dat ik zag dat Tazim er ook bij stond.

'Het is in scène gezet.'

'O ja?' Christiaan. 'Door wie dan?'

'Door de media. Door de Belgische regering.'

'Gelul!'

Ik had geen flauw idee waar het over ging maar Rafik zag ons staan en kwam naar ons toe.

'Een aanslag,' zei hij. 'In België.'

Ref en ik keken elkaar aan. 'Wat voor aanslag?' vroeg Ref terwijl hij naar het opgewonden groepje bleef kijken. 'Op wie?'

'Op een man die stukjes schreef tegen de islam.'

Ik schudde wrevelig mijn hoofd. Daar zou je het hebben. Er hing iets in de lucht. Iets waar ik geen zin in had.

'Ik hoorde die ene jongen zeggen dat het nep was,' zei ik. 'In scène gezet, zei hij.'

Rafik keek een ogenblik naar het groepje. Daar ging de discussie door, met wilde gebaren en luide stemmen. 'Dat zeggen ze,' zei hij.

'Stom,' zei Ref.

'Je weet het niet.' Rafik keek hem aarzelend aan.

'Ik wíl het geeneens weten,' zei ik.

Het groepje viel uit elkaar en de deelnemers aan de discussie gingen met kwaaie koppen verschillende kanten op. Tazim liep, samen met een ander, in onze richting. Toen hij bij ons was hield hij even in terwijl hij me dreigend aankeek.

'Wou jij ook wat zeggen?' vroeg hij, bijna toonloos en toch dreigend.

Ik keek hem recht aan. 'Nee,' zei ik. 'Waarom zou ik iets willen zeggen?'

'De islam heeft het zeker weer gedaan, hè?'

'Hoe kan ik dat nou weten,' zei ik. 'Ik ben er niet bij geweest. Jij?'

Tazims gezicht vertrok van woede en hij keek of hij me nog een keer te grazen zou nemen maar Ref trok aan mijn arm.

'Kom op,' zei hij. Ik keek Tazim nog een keer minachtend aan terwijl ik me liet meenemen, maar hij bleef staan. We liepen met zijn drieën naar een hoek achter de fietsenrekken.

'Die wil ik nog een keer tegenkomen als er niemand bij is,' zei ik.

10

Op de dag van de verkiezingen kwam Christiaan, vergezeld door zijn schaduw, voor schooltijd nog even naar me toe. Hij kwam naast me staan toen ik mijn fiets had weggezet en zei zacht, alsof hij omringd was door de vijanden waar hij het elke keer over had: 'Ik hoop dat ze winnen.'

Ik wist heel goed waar hij het over had maar vroeg toch: 'Dat wie winnen?'

'De PNB natuurlijk.' Hij stootte me aan op de manier van 'wij weten waar we het over hebben' en knipoogde, om vervolgens in het gewoel te verdwijnen. Een spion in vijandelijk gebied.

'Wat zei dat enge mannetje tegen je?' vroeg Ref die zoals wel vaker later dan ik op school was omdat hij met andere dingen bezig was geweest, nog even een beetje drummen of zo.

'Hoezo een eng mannetje?' vroeg ik.

'Hij glibbert.'

Ja, zo kon je hem ook bekijken. 'Hij hoopt dat de PNB wint vandaag,' zei ik.

'Nou, dat bedoel ik.' Hij maakte een gebaar van uitleggen.

'Hé hé,' zei ik. 'Heb jij opeens een mening over politiek. Dat was toch vogelgefladder?'

'Dat is het ook,' zei hij, niet uit het veld geslagen. 'De ene vogel is alleen sympathieker dan de andere.'

Ik kreeg opeens de neiging om iets goeds over de PNB te zeggen. Dat ze tegen moslims en dan vooral Marokkanen waren was toch niet zomaar? Ik dacht aan Tazim en de haat in zijn ogen, aan de manier waarop hij de schuld van de aanslag op anderen probeerde af te schuiven. Maar toen hoorde ik in gedachten mijn vader weer met droge ogen beweren dat hij door Marokkanen was aangevallen en had moeten rennen voor zijn leven. Ik hield me in.

We begonnen zoals elke woensdag met een mentoruur. Waarsma deelde mee dat dat uur, zoals ook in andere klassen, zou worden besteed aan een gesprek over iets wat onlangs gebeurd was. Ik zag de bui al hangen: de moordaanslag in Namur. Ik besloot om me buiten elke discussie te houden.

'Zoals jullie weten was er een paar dagen geleden een aanslag op een schrijver in België,' zei Waarsma. 'Het is de bedoeling dat we daar eens met elkaar over praten.'

'Waarom?' vroeg Rafik direct.

Waarsma dacht een paar seconden na. Hij maakte de indruk alsof hij met dit uur in zijn maag zat. Misschien ging hij het er alleen maar over hebben omdat het moest. Omdat de directie dat had gezegd.

'Omdat het gaat over de veiligheid,' zei hij.

'Wat hebben wij daarmee te maken?' zei Rafik.

'Ik wil alleen maar weten wat je ervan vindt.'

'Omdat het over moslims gaat natuurlijk. Dat is helemaal niet bewezen dat het moslims waren.'

'Wel waar,' zei Jesper. 'IS heeft gezegd dat de aanslag door hen is gedaan. Het was in het nieuws.'

'Het nieuws kan wel zoveel zeggen,' verdedigde Rafik zich.

'Wie hebben het dan gedaan?'

'Ja, de Belgen, de regering, en dan geven ze de schuld aan de moslims. Dat gebeurt elke keer.'

'Aàh Rafik, jongen.' Jesper draaide zich om en keek Rafik teleurgesteld aan. 'Dat geloof je toch zelf niet?'

'Het ís zo.'

Waarsma besloot in te grijpen. 'Iemand anders nog een mening?' vroeg hij.

Eén moment verwachtte ik dat iedereen naar mij zou kijken maar dat was niet zo. Niet dat ik merkte.

'Het maakt me best wel bang,' zei Samiha. 'Ze kijken allemaal naar ons omdat ze denken dat wij ook zoiets zouden doen. Ik word op straat nageroepen alsof ik een terrorist ben. Dat is discriminatie, hier op school ook.'

'Wie noemt jou hier op school een terrorist?' vroeg Waarsma.

'Dat niet,' zei Samiha. 'Dat geef ik eerlijk toe. Maar we worden hier net zo goed gediscrimineerd, ook door leraren.'

Niemand zei wat. Iedereen wachtte op hoe Waarsma daarop zou reageren. Hij deed het verstandigste wat hij kon doen en zei: 'Ik niet volgens mij.'

'Nee, u niet,' zei Samiha. Het gevaar voor Waarsma was geweken. 'U niet maar meneer Van Grol wel.

'Echt?' zei Waarsma voorzichtig.

'Echt.' De meesten knikten.

'Maar daar moeten jullie het dan over hebben. Met eh...' Met de directie, wilde hij misschien zeggen.

'Met onze mentor,' zei Samiha.

Daar had Waarsma niet van terug. Hij glimlachte een beetje scheef, en ook in de klas werd gelachen. De spanning was er even af.

'Zo'n aanslag kan hier ook gebeuren,' zei Kaja. 'Ja, niet door Samiha of door Rafik natuurlijk. Door terroristen bedoel ik,' vervolgde ze. 'Door hoe heet dat... jihadgangers.'

'Mijn broer Munir is jihadganger.' Rafik zei het met zijn

armen over elkaar. Hij keek uitdagend de klas rond.

Ik zag opeens dat sommigen dat al wisten maar anderen niet. Ik ook niet. Ik zag er een paar schrikken, alsof ze zich realiseerden dat dit behoorlijk bij hen in de buurt kwam.

'En jihadgangers zijn geen terroristen,' zei Rafik.

'O nee? Wat is dan het verschil?' vroeg Kaja.

'Jihadgangers zijn strijders. Terroristen blazen zichzelf op.' Rafik wilde zijn broer verdedigen. 'Dat is een groot verschil.'

'Ze zeggen dat zelfmoordterroristen martelaars zijn,' zei Jesper. 'Dat ze in het paradijs komen. Met een rij maagden.'

Er werd hier en daar zacht gelachen, maar niet door Rafik. Die schudde alleen bijna onmerkbaar zijn hoofd.

'En jij, Rafik?' vroeg Waarsma, onverwacht. 'Zou jij naar Syrië gaan of naar Irak, als je de kans kreeg?'

De hele klas hield zijn adem in. Rafik keek Waarsma strak aan.

'Ja, dat zou ik doen,' zei hij kalm. 'Ik zou naar Syrië gaan om Munir op te zoeken. Om hem terug te halen naar huis.'

Er kon weer uitgeademd worden.

11

Die avond om een uur of negen bleek dat de PNB een verpletterende overwinning had behaald: van vierentwintig naar eenenveertig zetels! Mijn moeder zat stomverbaasd en nogal opgewonden naar de verkiezingsuitzending te kijken. Wat ging er door haar heen? Zag ze zichzelf al als de vrouw van een van de nieuwe ministers? Was dat haar toekomstdroom? Maar toen ik haar dat vroeg wees ze het ongemakkelijk van zich af. Ik moest niet zulke gekke dingen zeggen, zei ze.

Zo gek vond ik het anders niet. Als een partij eenenveertig zetels haalt zal er toch ook geregeerd moeten worden. En dan mijn vader als minister van milieu of zoiets. Dat drong tot me door toen ik hem op tv op een gegeven moment door het beeld zag schuiven terwijl zijn idool Heleen Zilvermunt voor de camera triomfantelijk de victorie kraaide.

Ik kon het schudden op school.

'Ze kunnen niet meer om ons heen,' zei Heleen met vochtige mondhoeken in de microfoon. 'Dit is heel goed voor het land, het begin van een nieuwe tijd.'

'Het is toch ongelofelijk,' zei mijn moeder. 'Wie had dat gedacht?'

'Ben je blij?' vroeg ik.

'Natuurlijk ben ik blij. Jij toch ook, voor pa?'

'Nou, ik ben er helemaal niet blij mee.' Ik werd kwaad. 'Ik heb er alleen maar last van, van die hele PNB.'

Ze keek me stomverbaasd aan. Van die last kon ze ook niet weten omdat ik thuis niet verteld had wat er op school gebeurd was. Ik had de naam Tazim niet laten vallen. Ik zag mijn vader er namelijk voor aan dat hij op hoge poten naar school zou komen om te klagen over dat zijn zoon bedreigd was. Hij zou maatregelen eisen, me van school halen.

'Hoe kun je daar nou last van hebben?' vroeg mijn moeder.

Ik werd nog kwader. Ik kon het niet hebben dat ze alleen maar achter mijn vader aan liep en zich niet in mijn problemen verdiepte.

'Jij weet niet wat er op school gebeurt,' zei ik. 'Je denkt toch niet dat het fijn is dat iedereen weet wie je bent omdat je de zoon bent van iemand van de PNB?'

Ze keek me sprakeloos aan.

'Of dat ik daar populair van word?' vroeg ik.

'Wat probeer je me te vertellen?' vroeg ze geschrokken. 'Is er iets gebeurd?'

Ik had me op glad ijs begeven. Als ik zou vertellen van Tazim en zijn volgers, als ze dat dan aan mijn vader zou zeggen, was ik nog verder van huis.

'Ze kijken mij eropaan,' zei ik alleen maar. 'Daar heb ik genoeg van.'

Ze keek even nadenkend naar het tv-scherm waar iemand van een van de verliezende partijen treurig stond te zijn. 'Misschien moeten we je naar een andere school doen,' zei ze toen.

Ik schudde mijn hoofd. Een andere school was geen oplossing. Zo ruimde je de rommel niet op, je verplaatste hem alleen maar.

'Daar gebeurt precies hetzelfde, ma,' zei ik ongeduldig. 'Er zijn heel veel mensen die de pest hebben aan de PNB, wist je dat niet?' Dat laatste was puur sarcasme. Natuurlijk wist ze dat.

'Maar dat is toch alleen maar politiek?' zei ze, alsof ze niet kon snappen dat er mensen waren die dat allemaal serieus namen. Het was een spelletje, dacht ze.

Als dat eens waar was: een tv-spelletje, zoals er zoveel waren. Elkaar wegpesten om zelf te kunnen winnen. Boer zoekt vrouw, Utopia, Heel Holland bakt, Politiek in Den Haag. Iets om naar te kijken en je bij te vervelen.

'Geloof me nou maar,' zei ik. 'En wat die PNB wil maakt me niks uit, ik wil er alleen geen last van hebben.'

Dat was niet meer helemaal waar. Dat van die last wel, maar sinds ik de website van de PNB had bezocht was ik erover gaan nadenken. Sommige standpunten vond ik stom, maar mijn vader stom vinden dééd ik soms wel, maar ik wilde het niet. Mijn vader van vroeger wilde ik terug, dat wel.

Je kunt wel zoveel willen.

Ik zag hem trouwens niet meer die dag. Toen hij thuiskwam lag ik allang te pitten. Pas de volgende ochtend kwam ik hem weer tegen. Met schaduwen onder zijn ogen maar voor de rest zo dartel als een jonge hond.

'Nou, wat zeg je ervan?' Hij gaf me een mep op mijn schouder. 'Is dat een overwinning, of niet?'

'Ja,' zei ik. 'Het is een overwinning.'

Hij keek me afwachtend aan. 'Nou dan,' zei hij. 'Ben je niet blij?'

Nog eentje die me blij wilde hebben. Ik schudde mijn hoofd. 'Het is een overwinning,' zei ik. 'Maar ik ben niet blij.'

'Dat begrijp ik niet,' zei hij. 'Jongen, dit is toch een fantastische gebeurtenis!' zei hij. 'We gaan het anders doen. Er moeten langzamerhand besluiten genomen worden. We gaan het land veranderen, eindelijk.'

Het was niet in me opgekomen dat het land veranderd moest

worden, ik vond het land prima zoals het was. Veranderen was niet nodig.

Bij de fietsenrekken kwam Christiaan samen met een paar anderen die ik niet kende direct naar me toe. 'Gefeliciteerd,' zei hij enthousiast terwijl hij me op mijn schouder sloeg. 'Ze hebben gewonnen.'

Ik keek om me heen. Wat ik me daarvoor alleen maar had verbeeld was nu werkelijkheid: er werd naar me gekeken. Behalve Christiaan kwam niemand me feliciteren, ze keken alleen maar.

'Weg,' zei ik tegen Christiaan. 'Ga weg, man. Ik heb niks gewonnen. Weg!'

Hij keek me teleurgesteld aan en deed een stap terug. Het hele groepje deed dat. Hun idool had hen afgewezen en dat kwam hard aan. Het interesseerde me niet.

Op weg naar het lokaal van Nederlands praatte niemand met me. Of ze wilden niet, of ze wisten niet wat ze moesten zeggen. Ook goed. Ik ging nog meer rechtop lopen dan ik al deed. Ik zei tegen mezelf dat ik erboven stond. In het lokaal zat Ref al op zijn plaats, nogal ongewoon zo vroeg. Kaja stond bij hem. Waar ze over praatten hoorde ik niet maar ze hielden ermee op toen ik bij hen was. Ik stapte in het stille gat dat opeens was ontstaan. 'Gezellig,' zei ik. Ze reageerden niet. Ik ging op mijn plaats zitten en keek opzij, naar Ref. Hij had ineens iets heel afstandelijks, nog net niet afkeurend. Ik begon te bevriezen.

'Jullie zijn zeker wel blij,' zei hij. *Blij* begon een steeds populairder woord te worden.

Ik vroeg: 'Jullie?'

'Jij en je vader. Jullie zijn natuurlijk blij.'

'Gaat je geen reet aan,' zei ik. Ik kreeg de pest in. Hij moest toch weten dat de PNB me niet interesseerde. We hadden het erover gehad. Ik keek naar Kaja. 'Wil jij ook weten of ik blij ben?' vroeg ik kwaad.

'Nee.' Ze schudde haar hoofd. 'Dat interesseert me niet.' Alsof de uitslag van de verkiezing mijn schuld was. Het sloeg nergens op.

'Dan niet.' Ik stond op, pakte mijn rugtas, duwde haar aan de kant en ging in de hoek helemaal achterin aan een leeg tafeltje zitten. 'Jullie kunnen de schijt krijgen,' zei ik nog. Zo, dat was eruit.

Ik pakte mijn spullen uit mijn tas en smeet ze op de tafel. Zo moesten ze dus echt niet tegen me beginnen, dacht ik. Fok op met jullie hele zooi. Fok op!

Pas na een paar minuten drong het tot me door dat ik een vriend van me af gescholden had en een eventuele date voorlopig onmogelijk had gemaakt.

12

Dinsdagmorgen 14 april

Niemand om mee te praten. Denk na, maar weet niet waar ik heen moet. Als ik om me heen kijk zie ik hoe mijn leven er momenteel uitziet: als een ruïne. Een puinhoop.

Alles waar ik vooraf bang voor was is gebeurd. Mijn vrienden ben ik kwijt. Ref en Kaja. Ik kan niet naar ze toe en dus kan ik niets uitleggen.

Moet wachten tot het donker is, en dan naar de snackbar, twee straten hier vandaan. Capuchon op. Als ik een beetje zuinig met mijn geld ben kan ik de eerste paar dagen eten kopen. Eet ik het hier op. In mijn stinkende schuilplaats.

Straks.

Begin me steeds eenzamer te voelen. Geen verbinding met de buitenwereld. Hoe het met mijn vader is weet ik niet. Hoop dat hij nog leeft en heel is.

Kan me wel voor mijn kop slaan. Wat had ik gedacht? Dat ik de baas was over de gebeurtenissen? Dat ik alles recht kon trekken? Hoe stom kun je zijn?

Het kwam door wat er met Ref gebeurde. Kortsluiting in mijn hoofd. Ging door het lint. Ja, alles wat daarna kwam, begon op het moment dat ik Ref zag liggen.

De dag is nog maar net begonnen. Durf niet bij daglicht naar buiten te gaan. Moet wachten, wachten, wachten.

Ben een nachtdier geworden.

Ik had natuurlijk kunnen proberen om nog ergens aansluiting te vinden maar ik deed het niet. Om aandacht bedelen is niet mijn stijl. Het lag tenslotte niet aan mij en ik ging dus naar niemand toe. Buiten bij het voetbalhok zag ik maandag in de middagpauze Christiaan opeens staan met een paar vrienden of klasgenoten. Hij keek naar me met een vraag in zijn ogen maar ik deed of ik hem niet zag. Hem had ik zeker niet nodig en dat clubje van hem ook niet.

Wie er naar míj toekwam was Tazim, ik had het kunnen weten. Hij ging tegenover me staan, en zei: 'Ben jij nog steeds hier op deze school? Ik zei dat je moest oprotten.'

Het moment kwam onverwacht maar ik aarzelde geen seconde. Ik haalde uit en raakte hem met mijn rechtervuist vol in zijn maag. Daar was hij niet op voorbereid. Hij klapte dubbel en ik gaf hem nog een stevig knietje in zijn kruis. Toen was het nog maar een klein kunstje om hem om te duwen. Net zoals ik had bedacht. En net zoals ik ook al had bedacht zei ik: 'Nog meer?'

Als bij toverslag werd ik omringd door Tazims vrienden. Ik had ze niet eens opgemerkt maar ze waren er wel en ze sloten me in terwijl Tazim nog aan mijn voeten lag te krimpen van pijn. Buiten die kring waren er alleen maar toeschouwers, ver weg. Heel ver weg. Geen Christiaan te zien.

'Met z'n allen, hè?' zei ik. 'Kom maar op, stelletje klootzakken.' Ik tilde mijn vuisten op.

Het kwam er niet van. Remco, de conciërge, was er het eerst, direct gevolgd door Waarsma en Barkvaarder.

'Uit elkaar!' riep Remco. 'Nu!'

De kring week. Ik keek rond. De meesten kende ik niet of nauwelijks. Maar Nourdin stond erbij, die van de vorige keer, in de

aula. En Rafik zag ik. Hij keek me strak en vijandig aan.
Barkvaarder duwde een paar jongens opzij en keek naar Tazim
die moeizaam overeind kwam.
'Hij heeft hem in elkaar geslagen,' zei Nourdin. 'Bosroode.
Tazim deed niks.'
'Jij weer,' zei Barkvaarder tegen mij. 'Ik had jou toch gewaarschuwd?'
Tazim was overeind gekomen en ik keek hem aan. Zijn gezicht
was nog vertrokken van pijn, maar de blik in zijn ogen was
een mix van woede en ontzag. Zijn armen hingen werkeloos
langs zijn lichaam terwijl hij moeite had om helemaal rechtop
te gaan staan.
'Is dat zo?' vroeg Barkvaarder aan hem. 'Jij deed niks?'
Tazim probeerde zo diep mogelijk adem te halen. Terwijl hij
me bleef aankijken zei hij, nogal onverwacht: 'Ik maakte hem
kwaad.'
'Maar je begon niet met vechten?'
Tazim schudde zijn hoofd.
Waarsma deed een stap naar voren, om iets te zeggen leek het,
maar Barkvaarder hield hem met een handgebaar tegen. 'Duidelijk,' zei hij, en tegen mij: 'Kom jij maar mee, vriend.'
Ik was zijn vriend niet, ik was niemands vriend, maar ik ging,
na nog een keer naar Tazim te hebben omgekeken, met hem
mee naar binnen.
Daar, in zijn kamer, hoorde ik dat ik voor drie dagen geschorst
was.

Toen ik een kwartier later buiten stond was mijn eerste ingeving dat ik het thuis niet zou vertellen. Maar dat was een zinloos plan. Natuurlijk zou de school mijn ouders op de hoogte stellen. Goed, thuis kwam straks.

Ik liep het inmiddels lege plein op, haalde mijn fiets uit het rek en keek naar boven naar de ramen van de lokalen. Als ik had gedacht dat er massaal naar me gekeken werd had ik het mis. Het enige wat ik zag was het grote hoofd van Van Grol. Hij keek zonder een duidelijke gelaatsuitdrukking op me neer. We keken elkaar even aan, hij boven en ik beneden. Van Grol, discriminatie, eikel. Dat laatste trouwens ook zonder discriminatie. Ik liet hem voor wat hij was en fietste het plein af.

Niet veel verder, op het Janskerkhof, ging ik op een leeg bankje zitten. Aan de overkant van de straat stond, recht tegenover me, een groot houten bord voor de affiches van de politieke partijen. Met prominent, ongeveer in het midden, het hoofd van Heleen Zilvermunt. Onder haar foto een grote rood wit blauwe sticker met *PNB-stemmers bedankt!* erop.

Ik zat daar even naar te kijken en dacht aan Christiaan, aan Tazim, mijn vader. Toen stond ik op en fietste door naar de winkel in kantoorartikelen aan het begin van de Lange Janstraat. Binnen kocht ik de dikste zwarte viltstift die ze daar hadden. De vrouw die hem aan me verkocht keek me onderzoekend aan, alsof ze zich afvroeg wat ik daarmee ging doen maar ik keek zo strak en vijandig mogelijk terug en ze vroeg niets.

'Fijne dag nog,' zei ze toen ik had afgerekend. Ik keek haar hoofdschuddend aan en ging de winkel uit. Die had iets om over na te denken. Ik had geen ervaring met mezelf volwassen voelen, maar volgens mij kwam ik op dat moment aardig in de buurt. Het was een bijna onaantastbaar gevoel.

Vervolgens reed ik door naar een snackbar op de Ganzenmarkt om mezelf vet te mesten met een patatje oorlog, een frikandel speciaal en een blikje cola.

Ik keek naar voorbijgangers, allemaal mensen die ik niet kende. Ik was alleen, de eenzame strijder en ik had alleen maar vijanden.

Die middag doorkruiste ik het centrum van de stad, zocht plekken op muren van openbare gebouwen, verzekerde me ervan dat ik even alleen was en schreef mijn boodschap op. *Mocro's tief op!* en ook: *PNB de kolére!* Ik was van alle markten thuis, overal tegen, en hoorde tegelijkertijd nergens bij. Dat gaf wel een lekker gevoel.

Om een uur of halfvier zat ik op een bankje aan de singel toen ik aan de overkant van het water Jesper langs zag komen op zijn fiets, en even later Ref en Kaja. Ref en Kaja, verdomme. Kansloze figuren.

Dat onaantastbare gevoel was voorbij toen ik thuiskwam. Mijn moeder was behoorlijk overstuur. Ze was gebeld door school en ze stond me bij wijze van spreken bij de deur op te wachten.

'Michiel!' zei ze. 'Hebben jullie gevochten?'

'Niet *jullie*.' zei ik. 'Hij kreeg geen kans om te vechten. Hij lag al.'

Ze keek me totaal perplex aan, alsof ze niet kon geloven dat ze zoiets, zo iemand als ik, had gebaard. Ik leefde in een andere wereld dan zij.

'Ze moeten zich niet met me bemoeien,' zei ik.

'Wie niet?'

'Niemand.' Ik liep langs haar heen en ging rechtstreeks door naar mijn kamer. Daar overdacht ik mijn voorlopige nieuwe status en merkte dat de aardigheid er al af begon te raken. Ik zat een beetje te niksen en doelloos uit het raam te kijken toen ik de auto van mijn vader aan zag komen. Het zag er opgefokt uit. Hij kwam te hard aanrijden, remde met piepende banden en smeet het autoportier met een klap dicht toen hij uitgestapt was. Ik begon al te denken dat mijn moeder hem over mij had gebeld maar toen ik voorzichtig naar beneden ging - beter maar direct - merkte ik dat hij zich over iets heel anders druk maakte.

'Ze zijn gewoon laf!' hoorde ik hem met luide stem tegen mijn moeder zeggen. 'Ze denken alleen maar aan hun eigen plekje. Ze durven niet, geloof je dat nou?'

Ik ging de kamer in. Mijn moeder zat overdonderd op de bank en keek naar mijn vader die met zijn rug naar me toe bij het raam stond.

Het ging over de PNB, merkte ik. Mijn vader sputterde kwaad verder zonder zich om te draaien. Ze hadden godbetert eenenveertig zetels in de Tweede Kamer maar geen enkele andere partij wilde met hen regeren. Het was om gek van te worden, voor hem dan.

'De allergrootste partij willen ze buiten sluiten. Hoe willen ze dán regeren? Dat kán helemaal niet!' Hij draaide zich om en zag me staan. 'Hoor je dat, Michiel? Lafaards zijn het!'

'Ik ben geschorst,' zei ik zonder verdere inleiding.

Zijn mond, die hij open had om door te gaan met zijn aanklacht klapte dicht. Komisch. Ik was blij, voor hem dan, dat hij zijn tong niet tussen zijn kiezen kreeg.

'Geschorst?' Hij spuwde het woord uit of het een verdachte exotische vrucht was. 'Waarom?'

Ik ging direct in de aanval. 'Vanwege jouw PNB,' zei ik. 'En de verkiezingen.'

Hij begreep het helemaal verkeerd. 'Wil je zeggen dat je bent geschorst omdat de PNB eenenveertig zetels heeft?' Ik zag aan

zijn gezicht dat hij bloed rook en hij vroeg het bijna gretig.
'Zo belangrijk zijn jullie nou ook weer niet,' zei ik. 'Alleen zijn
er op school mensen die denken dat ik ook PNB ben.' Ik keek
hem aan. 'En dat ben ik dus niet.'
Er schoof een schaduwtje van teleurstelling over zijn gezicht.
'Wie zijn dat dan?' vroeg hij.
'Moet ik ze allemaal opnoemen?'
'Kom op nou, Michiel.'
'In ieder geval Tazim,' zei ik. 'En die heb ik in elkaar geslagen.'
Het ging allemaal iets te snel voor hem, maar ik zag dat de te-
leurstelling plaatsmaakte voor iets wat op voldoening leek.
'Tazim?' vroeg hij. 'Is die...?'
'Ja, pa,' zei ik uitdagend. 'Die is Marokkaans.'
'Wat heeft die Tazim dan gedaan?'
'Nou, eigenlijk niks. Hij zei alleen dat ik op moest rotten van
school. En toen heb ik hem neergeslagen.'
'Oprotten, waarom?' vroeg hij voor de zekerheid.
'Nou, wat denk je zelf,' zei ik. 'Vanwege jouw PNB natuurlijk.'
Zijn gezicht vertoonde een mix van kwaadheid en trots. 'Ik ga
bellen,' zei hij. 'Ik ga die school bellen. Laten ze die Tazim
maar van school sturen.'
'Dat doen ze niet,' zei ik. 'En bellen helpt mij ook niet, hele-
maal niet zelfs.'
'Wacht jij maar eens af,' zei hij, en hij pakte zijn telefoon. 'Wat
is het nummer?'
Ik wist het nummer helemaal niet maar mijn moeder zocht
het al op.
'We laten niet met ons sollen,' zei hij strijdlustig. Met *ons* zou
hij natuurlijk vader en zoon Bosroode kunnen bedoelen, maar
het klonk alsof hij het over de PNB had.

Ik maakte een wegwerpgebaar en ging naar mijn kamer.
Er waren aardig wat dingen om over na te denken.

13

Ik dobberde rond in een zee van tijd, een zee van drie dagen. Geen afspraken en geen plannen. Ik had huiswerk meegekregen. Alsof ik schoolwerk op dat moment belangrijk vond. Ik legde het opzij. Dat was allemaal, zoals gewoonlijk, voor het laatste moment. Mijn moeder deed de eerste dag nog een halfslachtige poging om me op een fatsoenlijke tijd uit mijn bed te krijgen, maar ze gaf die strijd al snel op omdat ze geen zin had in een dagelijks terugkerend conflict. Mijn vader was het overgrote deel van de dag op pad voor het nationale belang. Wat er uit zijn telefoongesprek met school was gekomen wist ik niet. Niet veel bijzonders waarschijnlijk want hij had er niets over gezegd.

Ik hing thuis rond en - tot opluchting van mijn moeder - in de stad. Ik had alle tijd om mijn handen in mijn zakken te houden en geen haast te hebben. Soms, als ik door de stad liep, kwam ik langs plekken waar ik iets op de een of andere muur had geschreven. Het gaf wel een kick om langs zo'n plek te lopen waar mensen misschien kwaad om werden zonder dat iemand wist dat ik de afzender was. Op een elektriciteitshuisje was onder een anti-marokkanenkreet een Facebookduimpje getekend.

Ik ontdekte die dinsdag, toen ik aan het eind van de middag naar huis ging, dat Tazim en zijn vrienden rond die tijd op hun hangplek waren, bij de Noordsebrug. Een vaste plek, want de volgende dag waren ze er weer. Ik bleef op een afstand om niet in de problemen te komen en ik hoefde ook niet naar hem toe. Ik had hem tenslotte teruggepakt en dat was dat. De stand was gelijk.

In de loop van de middag van de derde en laatste dag zat ik op het bankje aan de singel dat ik me min of meer toegeëigend had. Er lag een krant van een dag terug met op de voorpagina het nieuws over zeshonderd vluchtelingen in een gammele boot die verdronken waren, ergens bij Griekenland.

Ik keek naar het water voor mijn voeten en probeerde me er een voorstelling van te maken. Maar het verschil met de woelige zee was te groot en Libië was te ver weg. Te ver van waar ik zat en te ver van mijn leven. Ik had mijn eigen problemen.

Ik dacht na over de volgende dag, als ik weer op school zou verschijnen. Over hoe ik me zou gedragen. Het was waarschijnlijk het beste om onverschillig te doen: Michiel Bosroode, niet klein te krijgen. Laat me met rust. Vraag niet naar dingen waar ik geen antwoord op weet.

Dat ik daardoor nog steeds een eenling zou zijn deerde me niet. Dat zei ik tegen mezelf, al knaagde er twijfel aan mijn voorgenomen stoere houding. Als ik zo zou doen zou ik bewust afstand nemen van de voorzichtige vriendschappen die ik aan het opbouwen was, wat belangrijk was voor iemand die nieuw op school was. Ref natuurlijk, maar ook Rafik, Jesper een beetje. En Kaja, maar dat was meer hoop en verwachting dan realiteit.

Dus ja, wat zat ik nou eigenlijk moeilijk te doen, dacht ik. Een beetje de onaantastbare uithangen? Ik kon ook naar Ref toegaan en zeggen dat ik niet zo lomp had moeten doen maar dat hij mij ook niet moest aankijken op wat er met de PNB gebeurde. Daar konden we toch gewoon over praten? Sorry zeggen was niet mijn sterkste eigenschap maar daar kon ik me wel overheen zetten als ik dat echt wilde.

Toen zag ik uit mijn linkerooghoek dat iemand een fiets op de standaard zette en naast me op het bankje ging zitten. Ik besteedde er geen aandacht aan en bleef naar de overkant kijken tot ik opeens mijn naam hoorde noemen.

'Kijk eens aan, daar hebben we Michiel Bosroode.'

Toen ik opzij keek zag ik dat het Van Grol was. Ik geloofde mijn ogen niet en voelde me op slag ongemakkelijk. Ik knikte naar hem en zei niets. Van Grol, fok, nee hè?

'Het zit er bijna op, toch?' zei hij. 'Je schorsing?'

'Laatste dag,' zei ik.

Hij wachtte even en vroeg toen: 'Wat is nou eigenlijk precies gebeurd?'

'Tazim en ik waren het ergens niet over eens,' zei ik. Ik was niet van plan om in details te treden. Niet met Van Grol.

'Volgens mij heeft hij dingen gezegd waar je niet blij mee was,' zei hij.

'Ik kon me niet beheersen,' antwoordde ik, terwijl ik mijn armen over elkaar deed.

Hij merkte dat ik er verder niets over wilde vertellen maar hij legde een hand op mijn schouder en zei dat ik op hem kon rekenen als ik in de problemen kwam.

Ik zat net, een beetje zuur, te bedenken dat de toekomst er gunstig voor me uitzag maar niet heus, met steun van Christiaan en Van Grol, toen ik aan de overkant van het water een scooter zag stoppen. Er zaten twee jongens op en ze keken naar ons. De jongen achterop wees, en met afgrijzen zag ik dat het Nourdin was.

Fok, drie keer fók!

Daar ging mijn voornemen voor de volgende dag. Michiel Bosroode van de PNB en Van Grol, de discriminerende leraar hebben elkaar gevonden. Niks onverschillig. Ik zou het uit moeten leggen en niemand zou me geloven.

'Sorry, hoor,' zei ik nogal bot. 'Ik heb nog schoolwerk.' Ik stond op en reed zo snel weg dat het duidelijk was dat ik niet wilde dat hij met me mee zou fietsen. Nee, dat zou er helemaal nog bij moeten komen.

Rafik was de eerste die ik de volgende ochtend tegenkwam. 'Jij bent vriendjes geworden met Van Grol,' zei hij. Het was geen vraag, het was een mededeling.

'Nee,' zei ik. 'Dat is niet waar.'

'Jullie zijn gezien. Jullie zaten te smoezen bij de singel.'

'Rafik, luister nou...' Ik kreeg geen kans om nog meer tegen hem te zeggen. Een van zijn Marokkaanse vrienden - ik kende zijn naam niet - trok hem bij me vandaan. 'Laat hem,' zei hij. 'Hij is een oetoe, je weet toch.'

Ze liepen bij me vandaan en voor de rest kwam er niemand mijn kant op. Ik zag ze hier en daar wel kijken maar daar bleef het bij. Als ik zou moeten uitleggen wat er precies aan de hand was geweest op dat bankje zou ik naar de anderen toe moeten gaan. Dat verdomde ik. Ik was tenslotte geen bedelaar.

De eenzame plek achter in de klas was voortaan voor mij, besloot ik. Mijn torentje. Als iemand wat van me wilde weten moest hij maar naar mij toe komen.

Niemand deed dat, ook Ref niet. Ik ving nog weleens een blik van hem op maar die zwenkte dan heel snel naar iemand of iets anders. En ik kon me nog zo onverschillig voordoen, als het over Ref ging schuurde het. Het had met kleur te maken

en met ritme, met vriendschap. Misschien was 'vriendschap'
nog een te groot woord maar ik wist bijna zeker dat ik aan
hem heel goed alles zou kunnen uitleggen. Geen kans op. Ik
merkte aan alles dat hij me niet dichterbij wilde laten komen.
- vriendje van Van Grol, flikker toch op, man. -
Over Kaja maakte ik me helemaal geen illusies meer.

Die avond kondigde Heleen Zilvermunt op televisie aan dat
er de eerstvolgende zaterdag in Utrecht een demonstratie zou
worden gehouden om deelname van de PNB, als verreweg de
grootste partij, aan de regering op te eisen.
Mijn echte problemen waren nog niet eens begonnen.

14

De opkomst voor de demonstratie was groter dan ik had verwacht. Zelf had ik in eerste instantie thuis willen blijven - het maakte me geen bal uit wie er in de regering zat - maar ik was toch naar het centrum gegaan. Uit pure nieuwsgierigheid en omdat ik me verveelde. Ik had mijn fiets op het Janskerkhof neergezet en liep tussen groepjes mensen en eenlingen met mijn handen in mijn zakken door de Domstraat in de richting van het Domplein. Ja, ik was nieuwsgierig of er mensen bij zouden zijn die ik kende. Van Grol bijvoorbeeld. Hoe meer ik over hem nadacht, hoe meer ik hem ertoe in staat achtte. Mijn vader zou er natuurlijk ook bij zijn. Mijn moeder niet. Hij had tegen haar gezegd dat het verstandiger zou zijn als ze thuisbleef. Hij zei dat dat veiliger was.

'Wat denk je dan dat er kan gebeuren?' vroeg ze.

'Alles kan er gebeuren.' Hij zei het op de manier van een officier die in de strijd op elke gebeurtenis voorbereid is, en ik voelde me opeens vreemd verloren toen ik naar hem keek. Omdat ik steeds minder herkende van de vader van vroeger. Die vrolijke man die met zijn kinderen leuke en spannende dingen deed en 's avonds meestal gewoon gezellig thuis was. Toen hij nog gewoon bij de belastingdienst werkte en nog niet met politiek was besmet. Zijn vrolijkheid had plaatsgemaakt voor verbetenheid.

Mijn moeder vond het maar stom en overdreven zoals hij over die demonstratie deed, al was ze sowieso niet van plan om mee te gaan.

Aan mij vroeg mijn vader het niet. Ik denk dat hij verwachtte dat ik hem zou uitlachen of nog erger en daar had hij natuurlijk geen zin in.

Nee, ik ging niet demonstreren maar er van een afstandje naar kijken moest kunnen. En dus stond ik vlakbij de toren verdekt opgesteld in een portiek met een trapje naar de voordeur. Ik zag het Domplein vollopen met mensen. Ik zag geen bekenden, ook mijn vader zag ik eerst niet.

Het was nog niet begonnen. Op een aantal plekken rond het plein stonden politieagenten en er stonden een paar ME-busjes. Op het eerste gezicht zag alles er rustig uit. Maar ik zag opvallend veel mannen met donkere jacks en kaalgeschoren koppen, in groepjes die verspreid waren over het plein. Ze stonden te kletsen, sigaretjes te roken en elkaar op de schouders te slaan.

Ze kenden elkaar allemaal. Soms ging er een naar een ander groepje om daar een gesprekje te voeren. Ik ging op de bovenste tree van het trapje staan en keek over de massa heen. Die groepjes stonden verdeeld over het plein. Het was een netwerk van mannen met wie ik niet graag op vakantie zou gaan, om het zo maar eens te zeggen.

Het plein liep vol, als bij de inkomst van Sinterklaas, maar dan zonder kinderen.

Er gebeurde nog niets.

Toen, ergens in de menigte midden op het plein, klonk applaus dat snel luider werd. Er werd gejuicht en gejoeld. Het podium dat daar stond werd beklommen door Heleen Zilvermunt. Ze zwaaide vrolijk, en kijk, daar was mijn vader ook, met nog een paar mannen van wie er twee zo nadrukkelijk om zich heen stonden te kijken waren dat ze wel de lijfwachten van Heleen moesten zijn. Haar stem schalde over het plein. Ze hield een toespraak die over de islam ging, over het gevaar van al die vluchtelingen, over de regering met slappe knieën, de zorg en over Europa. Ze werd regelmatig onderbroken door applaus. Iedereen vond alles wat ze zei oké, uiteraard.

'Het Nederlandse volk heeft gekozen voor de PNB!' riep ze. 'Dit land heeft de PNB nodig!' Daverende bijval. Mijn vader stond te glimmen naast zijn idool. Dit was een topmoment voor hem en hij had zijn 'ik zal het ze even vertellen' gezicht opgezet. Hij klapte mee met elk applaus en als hij dat deed knikte hij nadrukkelijk, alsof Heleen zíjn tekst uitsprak. Nou, misschien was dat ook wel zo.

Niemand lette op me terwijl ik daar in de schaduw van het portiek stond. Ik kwam tot de conclusie dat ik mijn tijd stond te verdoen. 'We zijn de grootste geworden en niemand kan nu meer om ons heen!' riep Heleen. Hetzelfde liedje, dacht ik. Ik stond op het punt om maar weer naar huis te gaan maar mijn blik viel toevallig op een paar politieagenten die een eindje verder aan de rand van het plein stonden toe te kijken, twee mannen en een vrouw. Ze draaiden zich zenuwachtig om. De vrouw praatte geagiteerd in haar portofoon. De mensen daar in de buurt werden ook onrustig. Ik ging op mijn tenen staan om te zien wat er aan de hand was. In de Lange Nieuwstraat kwam een groep mensen dichterbij. Ze hadden spandoeken bij zich maar ik kon nog niet lezen wat daarop stond. Er ging een golf van onrustig gemompel door dat deel van de massa op het plein dat die optocht dichterbij zag komen. Er waren mensen die zich uit de voeten wilden maken, bij de Lange Nieuwstraat vandaan. Anderen snapten niet wat er aan de hand was. Er werd gedrongen en geduwd. Heleen Zilvermunt merkte dat er iets aan de hand was en stopte met haar toespraak.

Ik stond nog steeds op de bovenste tree en zag dat er van verschillende kanten een golfbeweging ontstond. De groepjes mannen verplaatsten zich razendsnel, allemaal in de richting van de Lange Nieuwstraat. Het zag eruit als een goed geplande aanval.

Ik bewoog me, met mijn rug tegen de muur, in de richting van de naderende groep in de Lange Nieuwstraat en bij de PNB-demonstratie vandaan. Omdat ik nieuwsgierig was, nog steeds. Maar ook en vooral omdat ik, toen de optocht inmiddels dichterbij was gekomen, een spandoek zag waar ik van schrok. Ik wilde het eerst niet geloven maar toen ze dichterbij kwamen herkende ik het:

PNB DOOR DE PLEE

VAN BOVEN NAAR BENEE

Het was dat rottige spandoek dat in de aula van school had gehangen, slordig geschilderd maar goed leesbaar. De letters leken me uitdagend aan te kijken. Ik liep er, voorbij de politieagenten, heen en zag dat een van degenen die het omhooghielden Sil was, de broer van Ref.

En een paar meter erachter liep Ref zelf, kleurig en wel. In een oogwenk was ik bij hem. 'Ref,' zei ik. 'Wat is dat?' Ik wees naar het spandoek.

'Dat zie je toch?' zei hij.

'Heb jij dat gemaakt?'

'Nee.' Hij schudde zijn hoofd. 'Ik niet, Sil.'

'Ref, het is hetzelfde spandoek dat ook op school hing.'

Hij zei niets.

'Toch?'

Hij keek voor zich uit. De eersten van zijn stoet hadden bijna het plein bereikt. De toegang tot het Domplein werd zo goed mogelijk door politieagenten versperd maar het waren er te weinig. Ik keek naar de mensen achter ons. Er waren meer spandoeken. 'Geen discriminatie,' zag ik staan, en: 'Vrijheid voor iedereen.'

'Geef antwoord, Ref,' zei ik ongeduldig en kwaad. 'Heb jij dat doek opgehangen op school?'

'Ja!' zei hij, kwaad ineens. 'Dat heb ik gedaan, ja. Die PNB is een waardeloze club!'

'Maar daar kan…' Daar kan ik niks aan doen, wilde ik zeggen. Maar er werd geduwd en we moesten achteruit. Er was geen kans op een rustig gesprekje.

'En je deed niet aan politiek!' riep ik. 'Dat zei je zelf!'

'O ja, dat moet jij nodig zeggen,' antwoordde hij. 'En jij dan? Ben jij nu opeens voor de PNB? Samen met Van Grol?'

Fok!

Ik vond geen woorden en keek hem een moment zwijgend aan. Toen haalde ik moedeloos mijn schouders op. Ik had nooit gezegd dat ik voor de PNB was dus hoefde ik ook niet te zeggen dat het níét zo was. Het leek verdomme wel of ik voor de rechter stond.

'Tief toch op jij!' Ik stak mijn middelvinger op en liep bij hem vandaan, ook omdat het gedrang steeds groter werd. Er werd geschreeuwd en van de vreedzame en rustige sfeer van eerst was niet veel meer over.

Ik was razend. Samen met Van Grol? Wie wil er nou iets samen met Van Grol? Grootste shitleraar van de school. Ik speurde de massa voor me weer af. Als hij er opeens wel zou blijken te zijn en ik zag hem, moest ik echt weg. Ik zag hem niet. Waarom had hij me niet met rust gelaten, mafkees.

De twee partijen stonden nu vlak tegenover elkaar. Vanuit de verte hoorde ik de sirenes van naderende versterkingen. Het was even merkwaardig stil, alsof niemand wist wat er geroepen, geschreeuwd of gedaan moest worden. Toen zag ik van links mensen in beweging komen. De kale koppen drongen zich naar voren. Hun gezicht stond op pure haat, angstwekkend om te zien. Ze wilden zich door niemand laten tegenhouden en ze vormden een golf van agressie die de smalle verdedigingswal van politieagenten makkelijk zou kunnen breken.

Opeens zag ik vlakbij een man met een soort camouflagepak aan, met sluik blond haar en een bril. Hij had een forse steen in zijn hand. Een kei die hij ergens had losgewrikt. Een aanvalswapen. Van rechts klonk: 'PNB, Néé! PNB néé!'

De man gooide de eerste steen. Ik volgde het projectiel dat met een boog over de machteloze politiebarricade heen vloog en midden in de groep anti-PNB'ers terechtkwam. Er klonken kreten van woede en schrik. Er volgden meer stenen maar er werden er ook teruggegooid. Mensen wilden weg uit de eerste rijen van het front en anderen wilden juist naar voren. De korte rust verdween als sneeuw voor de zon. Een dikke vrouw struikelde en kon niet meer overeind komen. Ze had er domweg de ruimte niet voor. Anderen vielen over haar heen. Ze gilde. Vanuit de Lange Nieuwstraat werden rookbommetjes gegooid. Een meisje naast me, een toeschouwster net als ik, kreeg er een tegen haar voet en ze slaakte een kreet van schrik. De toestand werd onbeheersbaar Er klonken politiefluitjes en de sirenes kwamen dichterbij.

Ik trok me terug in mijn portiek en keek verbijsterd toe. Er was geen schijn van kans meer om weg te komen. Dan had ik me vechtend een pad moeten banen.

Ik kreeg gezelschap. Naast me was een man komen staan. Ik zag paniek in zijn ogen.

'Vuile klootzakken,' zei hij, een stuk minder keurig dan zijn beige overjas met donkerbruine kraag. Hij zei er niet bij wie hij daarmee bedoelde, kaalkoppen of anti- PNB'ers.

Toen kwam uit een smalle zijstraat het eerste ME-busje aan-jakkeren. Het stopte en er sprongen mannen uit met wapenstokken. Meer busjes volgden met nog meer strijders. De massa week uiteen. De mensen in de Lange Nieuwstraat trokken zich terug terwijl er nog steeds stenen in hun richting vlogen. De ME had een rij gevormd en rukte op. De anti-PNB groep werd finaal uit elkaar gejaagd, als papierafval dat voor een bladblazer uit waaide. Binnen de kortste keren werd de straat finaal schoongeveegd. Er bleef alleen rommel over. Ik zag weggegooide spandoeken liggen, hier en daar een schoen, plastic tassen.

Toen zag ik midden op straat, als iets wat achteloos was weggegooid en ter plekke achtergelaten, iets liggen. Ik knipperde met mijn ogen en voelde een schok die me letterlijk pijn deed toen tot me doordrong wat het was:

Een slordig hoopje kleuren.

15

Ik moest mezelf dwingen om in beweging te komen. Dat lukte na een paar tellen, ik weet niet meer hoeveel. Ik deed de eerste stap en begon toen te rennen. Andere mensen bestonden niet, de ME ook niet. Ik zag alleen maar dat roerloze ding midden op straat dat maar niet dichterbij leek te komen, hoe hard ik ook rende. Alsof ik door stroop liep.

Vanuit de warrige massa in de Lange Nieuwstraat kwam iemand me tegemoet. Ik zag dat het Sil was. Hij was er het eerst bij. Hij knielde bij zijn broertje neer en keek vertwijfeld naar zijn roerloze gezicht. Hij streelde zijn haar en zei zijn naam, als een vraag.

Ik stond erbij en keek. Ref lag daar als een weggegooide marionet, onbeweeglijk. Lichtblauwe spijkerbroek. sweater met een groot, knalgeel Batman-logo. Blauwe Reeboks. Bij zijn hoofd kleurden de straatstenen rood.

De kleur van bloed.

'Ambulance!' schreeuwde Sil terwijl hij om zich heen keek. Toen zag hij mij. Het duurde even voor tot hem doordrong wie ik ook al weer was. Toen vertrok zijn gezicht van woede en hij sprong overeind.

'Sodemieter op, jij!' riep hij, en daarna, over zijn schouder: 'Bel een ambulance, verdomme!'

'Is al gebeurd!' riep iemand.

Sil stond vlak voor me. Hij was rood van woede. 'Wat doe jij hier?' vroeg hij verbeten.

'Ik...' Ik gaf geen antwoord op die vraag. Ik keek alleen naar

Ref, en vroeg: 'Leeft hij nog?'

'Weg!' riep Sil. 'Wég!'

Ik had geen antwoord op zijn razernij. Achterwaarts schuifelde ik weg naar het trottoir. Daar stond ik doelloos te wachtend tot ten slotte een ambulance aan kwam scheuren. Mannen in het turquoise en geel knielden bij Ref neer. Tot mijn opluchting legden ze even later een nekkraag aan. Hij leefde nog, waarom zouden ze dat anders doen? Maar ja, misschien wisten ze het niet. Ze legden hem op een soort plank en tilden hem op een brancard.

Zo schoven ze Ref naar binnen. Sil stapte ook in en de ambulance reed weg. Iets rustiger dan toen hij aankwam maar hij verdween toch snel uit het zicht.

Op het plein had Heleen Zilvermunt maar een punt gedraaid aan haar toespraak.

'We laten ons niet wegkrijgen!' riep ze nog. 'Ook geweld zal ons niet tegenhouden.'

Ze had nauwelijks iets gezien van wat er gebeurd was.

'Vanaf nu zal er rekening gehouden moeten worden met de Partij voor Nationaal Belang! Bedankt allemaal!'

Dat waren de laatste zinnen. Het laatste, nauwelijks enthousiaste, applaus klonk en de massa loste opmerkelijk snel op. De kale koppen waren al verdwenen, als ratten van een zinkend schip. De Lange Nieuwstraat wás al leeg, zo ver als ik kon kijken.

Ik keek naar de portiek waar ik had gestaan. De man met de keurige jas was er niet meer. Ik kon niet meer aan hem vragen of hij hetzelfde had gezien als ik.

Er kwam een agent naar me toe. Hij zei dat ik weg moest, dat het afgelopen was. Normaal gesproken zou ik tegen hem zeggen dat ik zelf mocht weten waar ik stond. Ik hield er niet van als iemand van de politie zei dat ik iets moest. Maar ik liep weg zonder iets te zeggen.

Het is afgelopen. Dat zinnetje spookte door mijn hoofd en ik dacht aan Ref. Ik had nog nooit een dode gezien maar dit was misschien de eerste keer. Alle beweging, alle ritme was weg geweest. Zijn kleuren waren vuil. Er hadden mensen op hem getrapt toen ze wegvluchtten voor de ME. Maar door zijn hoofdwond wist ik dat hij, daarvoor, was geraakt door een steen.

Ref.

Alleen de naam was er nog.

De rest van die middag zwierf ik doelloos door de stad omdat ik niet wist waar ik het zoeken moest. Naar huis gaan en daar mijn vader tegenkomen wilde ik niet.

Hij wist niet dat ik op het Domplein was geweest. Dat hoefde hij ook niet te weten, dus ik hoefde er ook niets over te vertellen als ik daar geen zin in had.

Maar ik wist meer dan de meeste andere mensen omdat ik heel toevallig die man in dat camouflagepak had gezien die de eerste steen gooide. Bij hem was het begonnen. Moest ik het melden bij de politie? Ik kende hem niet eens, ik had er geen flauw idee van wie het was. Ik wist ook niet of hij bij de PNB hoorde of dat het een relschopper was geweest, tuk op een knokpartij.

Over van alles dacht ik na, het ene chaotische beeld na het andere kwam langs maar elke keer gingen mijn gedachten maar één kant op: naar Ref. Dat beeld bleef terugkomen en ik kreeg het benauwd, elke keer dat het gebeurde. Dan klapte ik bijna uit elkaar van angst en spijt. Van mijn kwaadheid over wat hij had gezegd was niets meer over. Het laatste wat ik tegen hem had gezegd was dat hij op moest tiefen en dat bleef door mijn gedachten tollen, steeds maar weer.

Tief toch op, jij. Ik zou de woorden een voor een willen stukslaan maar ze waren er. Ik had ze gezegd en ze gingen niet meer weg. Ik meende er niets van - goed, op dat moment wel natuurlijk - maar ik was kwaad en ik wist niet wat ik anders moest zeggen. Als je kwaad bent doe je maar wat.

En nu was hij weg. Hij lag in een ziekenhuis - dood of levend, dat wist ik niet eens - en ik wilde naar hem toe. Maar ik wist niet in welk ziekenhuis hij lag. En als ik het wel wist en ik ging erheen zou ik niet weten wat ik moest zeggen. Tegen Sil bijvoorbeeld. Ik was alleen maar aanwezig geweest, ik had het niet gedaan, ik was geen PNB'er. En toch voelde ik me schuldig. Pas als ik alles uit had kunnen leggen zou dat niet meer zo zijn. Hoopte ik.

Maar als ik het gezicht van Sil voor me zag, met die razende woede daarin, schrok ik terug. En waarschijnlijk zouden ze me niet eens toelaten.

Ik hoorde nergens bij.

De stad ging zijn gewone gang. De demonstratie op het Domplein was opgelost als een schep zout in een bak water. Niets meer van te zien of te merken. Ref was niet belangrijk. De verkeerslichten waren belangrijk, de Hema, de eeuwig opgebroken straten in het centrum.

Niemand van de mensen die ik tegenkwam wist wie Ref was. Toen ik ten slotte toch naar huis ging was ik bekaf van het rondhangen. Hoe ik het uitkiende wist ik niet maar ik kwam tegelijk met mijn vader binnen.

'Het is maar goed dat jullie er niet bij waren,' zei hij tegen mijn moeder en mij. 'Zelfs dat proberen ze ons onmogelijk te maken.'

'Het was op het nieuws,' zei mijn moeder. 'Verschrikkelijk.'

Hij zei dat tegenstanders van de PNB geprobeerd hadden de demonstratie te verstoren. Dat er geweld was gebruikt, en hij werd steeds kwader toen hij aan het vertellen was. Hij zei dat er met stenen was gegooid. Dat er gewonden waren. Dat je als PNB-lid voor je leven moest vrezen. Die anti-beweging had niet eens een vergunning om te demonsteren, zei hij. Het was een stelletje vandalen geweest.

En toen vond ik het genoeg.

'Die zijn niet begonnen,' zei ik.

'Wat?' vroeg hij, kwaad omdat hij werd onderbroken.

'Jullie tegenstanders zijn niet begonnen.'

'Daar weet jij niks van, Michiel.' Hij schudde zijn hoofd. 'Het was één grote puinhoop.'

'Dat klopt,' zei ik. 'Maar de eerste stenen kwamen bij de PNB vandaan.'

'Ja, dat zeggen ze natuurlijk op het nieuws, dat dacht ik wel.'

'Ik heb het zelf gezien,' zei ik.

Hij viel stil. Zijn gezicht veranderde in een vraagteken en ik zei het nog een keer: 'Ik heb het zelf gezien.'

'Gezien?'

'Ja. Ik was erbij. Ik was op het Domplein.'

'Goed, jongen.' Hij vroeg niet eens bij welke partij ik had gestaan. 'Dat was niet zo verstandig maar ik ben blij dat je toch belangstelling voor ons hebt. En wat heb je nou precies gezien?'

'Ik heb geen belangstelling voor jullie,' zei ik. 'Ik was er alleen maar omdat ik nieuwsgierig was. En ik stond op de goeie plek.'

'De goeie plek? De goeie plek waarvoor? Waar stond je dan?'

'In een portiek bij de toren. Het was toevallig net de goeie plek om te zien hoe het begon. Het was iemand van de PNB, pa, een gast in een camouflagepak. Hij gooide de eerste steen, naar de Lange Nieuwstraat.'

'In een camouflagepak?' herhaalde hij stompzinnig.

'Ja. Hij stond op het Domplein, bij de demonstratie. En Ref is geraakt.'

'Ref? Wie is Ref nou weer?'

Ik werd kwaad. Hij zei het alsof Ref een lastig insect was. En hij was mijn vader maar op dat moment was Ref veel belangrijker voor mij dan hij.

'Ref is mijn vriend!' Ik schreeuwde opeens tegen hem. 'Hij was ook tegen die PNB van je! Hij heeft een steen tegen zijn kop gekregen! Heb je nou je zin?'

'Ho ho.' Hij tilde zijn handen op en protesteerde zwakjes.

'Hij ligt in het ziekenhuis,' zei ik, toonloos opeens. 'Ik weet niet eens of hij nog leeft.'

'O nee,' zei mijn moeder. 'Die leuke jongen?'

'Die leuke jongen is misschien dood!' Mijn stem sloeg over en de tranen sprongen in mijn ogen.

'Maar je weet niet...' probeerde mijn vader nog.

'Ik weet het wél!' schreeuwde ik. 'Ik heb hem zien liggen! Het was jullie schuld! Als hij dood is, is dat jullie schuld, jóúw schuld.' Met grote stappen ging ik de kamer uit en knalde de deur achter me dicht.

16

Ik wilde niet naar school, die maandag erna. Het nieuws was rondgegaan en ik wilde niemand onder ogen komen. Niet voordat ik zeker wist hoe het met Ref was. En ik wilde het zelf zien voordat iemand op het schoolplein me dat vertelde terwijl iedereen naar me keek.

Ik had om allerlei redenen wel eerder gespijbeld - geen zin of toets niet geleerd - maar dit was de eerste keer op het Augustinuscollege.

Ik had me voorgenomen om alle ziekenhuizen in Utrecht op te bellen. Ik had opgezocht hoeveel het er waren. Het waren er vier, Nieuwegein meegerekend. Ik moest vragen naar Ref den Hertog, of die daar was opgenomen. Geen idee hoe het met hem ging en of ik wel bij hem mocht maar ik waagde het niet om het bij Ref thuis te gaan vragen omdat ik Sil en zijn ouders niet onder ogen durfde te komen, nog niet.

Ik vertrok op de normale tijd van huis en ging in het Julianapark op een bankje zitten, uit het zicht. Ik was een bankzitter geworden: ik keek toe en deed niets.

Nou ja, ik ging bellen. Ik belde drie ziekenhuizen zonder succes. Pas bij de laatste, het UMC, was het raak.

'Ref den Hertog ligt op de Intensive Care,' zei de telefoniste.

'Wanneer kan ik op bezoek komen?' vroeg ik.

'Bent u familie?'

'Ik ben zijn vriend,' zei ik. 'Van school.'

Het voelde als een smoes omdat ik niet wist of dat nog wel zo was maar ik zei: 'Zijn beste vriend.'

'Tja...' Ze aarzelde. 'Zijn familie is bij hem, dus ik weet niet'
'Ik blijf maar heel even,' zei ik. 'Ik wil hem alleen maar even
zien en dan ga ik weer. Ze willen op school weten hoe het met
hem gaat.'

Het moet iets in mijn stem geweest zijn, ik weet het niet, maar
ze zei dat ik wel langs kon komen. Ik moest dan maar aan de
familie - 'Die ken je toch?'- vragen of ik even bij hem mocht.
Zijzelf ging daar niet over, zei ze.

Ik bedankte haar en pakte mijn fiets. Het UMC was aan de andere kant van de stad, zag ik op mijn smartphone. Ik fietste
die kant op, eerst rustig omdat ik bedacht dat ik alle tijd had,
omdat ik spijbelde. Maar hoe langer ik op weg was, hoe harder
ik begon te fietsen. Alle tijd? Hoe kwam ik erbij om dat te denken? Het ging misschien om uren, minuten zelfs.

Ik racete het centrum door en negeerde stoplichten waar dat
maar even mogelijk was. De verschrikkelijke mogelijkheid dat
ik ten slotte bij zijn bed zou staan om erachter te komen dat
hij net was doodgegaan dreef me voort.

'Ref,' zei ik nu en dan hardop en daarna steeds vaker. Alsof hij
kon horen dat ik zijn naam noemde en dat hij daarom op me
zou wachten. Een paar keer keek iemand onderzoekend naar
me om te zien wie die gek was die zo in zichzelf zat te praten.
Maar ik had mijn blik op oneindig staan en lette er niet op.
Uiteindelijk zag ik het UMC voor me opdoemen. Ergens in dat
grote, onpersoonlijke gebouw lag hij. Dadelijk zou ik weten
of het goed kwam of niet. Of hij nog leefde.

Ik was nat van het zweet toen ik mijn fiets op slot zette. Ik zag
mijn spiegelbeeld in het glas van de draaideur. Mijn drijfnatte
haar stond alle kanten op en mijn gezicht was knalrood. Ik
zag angst. Van de onverschillige, onaantastbare Michiel Bos-

roode was op dat moment niets overgebleven.

De vrouw achter de informatiebalie wees me, geschrokken en haastig door hoe ik eruitzag, de weg naar de Intensive Care. Die was in het souterrain. Ik ging naar beneden en toen ik onder aan de trap was volgde ik de borden, linksaf, rechtsaf, door een afdeling die al bijna niets meer met het gewone ziekenhuis te maken had. Er was geen daglicht, alsof ze vonden dat het daar eigenlijk al te laat voor was. Toen ik de zoveelste hoek was omgeslagen zag ik een eindje verderop Sil in de gang staan, met zijn moeder. Ik stond hijgend stil. Ik keek naar ze, opeens niet in staat om verder te lopen. Wat had ik gedacht? Dat ik zomaar even naar Ref toe kon gaan? Dat ze dat goed zouden vinden? Ik was een indringer en ik mocht hier niet zijn.

De moeder van Ref zag me het eerst. Ze kreeg een verwarde uitdrukking op haar gezicht en ik zag dat ze niet wist of ze me dichterbij moest wenken of me weg moest sturen. Toch deed ze een stap naar me toe, maar Sil hield haar tegen. Ze zei iets tegen hem en hij schudde zijn hoofd. Toen kwam er nog iemand de gang op. Het was Kaja. Ze zag me staan maar ik kon niet aan haar zien wat ze van mijn komst vond.

Kaja als donderslag bij heldere hemel. Wat was dat? Ondanks mijn bezorgdheid ging er een vlaag van jaloezie door me heen. Het zou natuurlijk kunnen dat ze hier alleen maar op bezoek was, net als ik, maar mogelijk ook niet. Waarschijnlijk niet, dacht ik.

Ref en Kaja. Had ik dat kunnen weten? Ja, als ik meer om me heen had gekeken in plaats van alleen maar te kijken waar Tazim was, dan wel misschien.

Ik zag haar iets tegen Sil en zijn moeder zeggen en toen kwam ze naar me toe. Ik probeerde aan haar ogen te zien wat ze me ging vertellen maar die waren zonder uitdrukking. Toen ze bij me was zei ze: 'Ref ligt in coma. Zijn toestand is stabiel.' Daarna kwam er niets meer.

Dat vond ik niet genoeg. Ik wilde weten of de dokters dachten dat het weer goed zou komen. Ik wilde naar hem toe, iets tegen hem zeggen, maar ik kreeg de kans niet.

'En nu willen we dat je weer weggaat,' zei ze.

Op de achtergrond stonden Sil en zijn moeder nog steeds onbeweeglijk naast elkaar. Een muur waar ik niet langs kon. *We willen dat je weggaat.* Ze hoorden met zijn drieën bij elkaar en samen hoorden ze bij Ref. Ik was alleen, ik voelde me alleen maar machteloos. Als ik tijd genoeg had zou ik uit kunnen leggen wat mijn rol was. Dat de dingen waren gebeurd zonder dat ik er invloed op had. Maar die tijd kreeg ik niet.

Het enige wat ik zei was: 'Ik heb dat niet gedaan.'

Het had geen effect. Ze liep alweer naar de anderen toe en zei niets meer. Daarom draaide ik me om en ik ging de andere kant op, terug naar de uitgang van de doolhof. Het was er net zo leeg als op de heenweg. Ik kwam niemand tegen, passeerde schilderijen aan de muur zonder dat ik ernaar keek tot ik ten slotte de trap weer opging. Even later, eenmaal boven, was ik weer tussen de mensen.

Patiënten schuifelden voorbij, in kamerjas, met of zonder hun standaard waaraan hun infuus hing. Of ze zaten in een rolstoel, geduwd door familie.

Zat Ref maar alvast weer in een rolstoel.

Bezoekers met bloemen en één met een gekleurde ballon met *Beterschap* erop. Ze keken vrolijk, bezorgd of verdrietig. Maar ze mochten straks allemaal weer naar buiten, naar huis. Daartussendoor haastige mannen of vrouwen in witte uniformen. Dokters, verplegers.

Ik stond bij een betonnen paal en keek ernaar zonder het echt te zien. Er kwam een langzame woede in me omhoog, een donkere, modderige brij. Ik zocht in gedachten naar iemand, of een plek, waar ik heen kon. Iemand, ergens, die wilde horen wat ik te zeggen had, die me liet uitpraten.

Ik kon niets bedenken. Thuis niet, school niet, Kaja niet.

De rest van de dag ging ik niet naar school. School was een doolhof, niet alleen door het gebouw, maar ook doordat ik daar niet zou vinden wat ik zocht. Dat was er niet meer.

Maar dat hoefde ook niet want school kwam naar me toe. Halverwege de Amsterdamsestraatweg fietste iemand me achterop die me bij mijn naam noemde.

Het was Jesper.

17

'Ik dacht dat je ziek was,' zei hij.

'Ben ik ook.'

'Nou.' Hij keek me nog eens van opzij aan. 'Je ziet er slecht uit. Doodziek.'

Eerst wilde ik tegen hem zeggen dat hij zich nergens mee moest bemoeien maar ik deed het niet. Ik wist niet wat ik van Jesper moest denken. Afgezien van die eerste dag was hij gewoon een klasgenoot, meer niet. Hij had zich niet zoveel met me bemoeid maar hij negeerde me ook niet.

'Ik spijbel,' zei ik.

'Nu geloof ik je.'

We stopten bij een kruispunt waar het zo druk was dat het levensgevaarlijk was om door rood te rijden.

'Je weet het natuurlijk,' zei hij. 'Van Ref.'

'Ik was erbij,' zei ik.

'Hè?'

'Ik heb het gezien.'

Ik zag zijn gezicht in één keer veranderen van neutraal in argwanend. Daar gingen we weer. Het licht stond nog steeds op rood en ik manoeuvreerde hem naar rechts, naar het trottoir.

'Gast, wat ben je van plan?' vroeg hij.

'Niks ergs,' zei ik. 'Ik wil alleen even zeggen dat ik niks met die demonstratie te maken had. Ik was er wel maar ik keek alleen maar.'

'Naar wie? Je vader?'

'Naar mijn vader kijken kan ik thuis ook. Ik was gewoon nieuwsgierig.'

'Niet zo slim,' zei hij.

'O nee? Het is toch mijn stad? Ik mag staan waar ik wil. Ik hoef niks uit te leggen, aan niemand.'

Hij keek me zwijgend aan. Ik keek terug, en ik zei: 'Wil je nog meer weten?'

'Van Grol,' zei hij alleen maar.

'Wat Van Grol?'

'Hij is van de PNB, zeggen ze.'

'Zeggen ze?'

'Hij is van de PNB, Michiel.'

'En wat kan ik daaraan doen?'

Hij haalde zijn schouders op. 'Niks, denk ik,' zei hij. 'Maar ze hebben jullie gezien, jou en Van Grol.'

'Ja, dat weet ik.' Ik haalde diep adem. 'Moet je horen, Jesper. Ik wil het tegen jou wel zeggen maar ik ben niet van plan om dat tegen iedereen te doen. Ik ging niet naar hem toe. Hij kwam naar mij toe.'

Jesper zei niets.

'Denk je nou echt dat ik het leuk vind om met die lul op een bankje te zitten? Flikker toch op, man!'

Hij keek me nadenkend en keurend aan zoals hij wel vaker naar me gekeken had, nog steeds zonder iets te zeggen.

'Ja, schiet nou maar op,' zei ik. 'Meer hoef ik er niet over te zeggen. Je bekijkt het maar.'

Hij zette zijn fiets weer op het fietspad maar het licht stond weer op rood. Ik bleef staan waar ik stond en keek naar hem terwijl hij wachtte. Hij keek niet één keer opzij, en toen het licht groen werd reed hij weg.

Natuurlijk was er door school gebeld dat ik er niet was. Mijn moeder stond me bijna handenwringend op te wachten.

'Wat is er Michiel, is er iets gebeurd?' vroeg ze bezorgd. 'Waarom was je niet op school?'

'Ik was in het ziekenhuis,' zei ik. 'Ik wilde weten hoe het met Ref is.'

'Ach, die arme jongen,' zei ze. 'Het was op het nieuws. Ze zeggen dat hij nog steeds in coma ligt.'

'Ja ma, dat weet ik dus al.'

'Heb je hem gezien?'

'Nee, ik heb hem niet gezien. Zijn familie wil me er niet bij hebben.'

'Waarom...' Ze stopte. Waarom niet, wilde ze waarschijnlijk vragen. Maar ze wist het antwoord al. Ze keek me treurig aan. 'Ik vind het echt heel erg, Michiel,' zei ze. 'Maar waarom was hij daar dan ook?'

'Waarom? Hij mag gaan en staan waar hij wil,' zei ik. 'We leven in een vrij land, zegt pa dat ook niet? Alles mag. Alleen iemand een grote steen tegen zijn kop gooien, dat mag niet. Laten we het dáár eens over hebben.'

En net op dat moment kwam mijn vader thuis. Ik hoorde hem neuriën toen hij zijn jas aan de kapstok hing. Goed nieuws gehad waarschijnlijk.

'Zo,' zei hij toen hij de kamer binnenkwam. 'Hallo daar.'

Ik wilde zijn goeie humeur zo snel mogelijk de grond in boren, dus ik zei: 'Ik ben in het ziekenhuis geweest. Ik heb gespijbeld.'

Het werkte perfect. 'Gespijbeld?' zei hij onthutst. 'Ben je gek geworden?'

'Pa, ik was in het ziekenhuis,' zei ik nog een keer.

'Wat heb je dan?' Hij keek me opeens bezorgd aan.

'Ref, weet je nog?' Ik keek hem kwaad aan. 'Een steen tegen zijn hoofd, weet je nog, pa? Hij ligt in coma.'

'O... ja.' Hij schakelde terug. 'Wat zeggen de dokters?'

'Die heb ik natuurlijk niet gesproken. En zijn familie heeft me weggestuurd.'

'Die hebben je... waarom?'

'Nou, wat denk je zelf. Ik ben besmet.'

'Wat belachelijk!' Hij begon zich op te winden. 'Waar slaat dat op?'

'Die steen kwam van jullie kant.'

Dat kon hij niet ontkennen want ik had het zelf gezien. Hij moest me wel geloven, of hij wilde of niet.

'Een man in een camouflagepak, zei je toch?'

'Die, ja.'

'Maar misschien was hij helemaal geen PNB'er. Was het een relschopper. Bij elke demonstratie komen die aanzetten, rel-schoppers.'

'Ja, lul je d'r maar uit.'

'Michiel!' zei mijn moeder verontwaardigd. 'Het is wel je vader.'

Ja, het was wel mijn vader. Ik sloot een moment mijn ogen om me dat te realiseren. Mijn vader, een vreemde.

'Ga zelf maar naar het ziekenhuis,' zei ik vermoeid. 'En neem Heleen Zilvermunt mee. Dan kunnen jullie je excuses aanbieden.'

Ik draaide me van hem af.

18

Terwijl ik op mijn rug op mijn bed lag kwam de hele rij langs: mijn vader, school, Rafik, Tazim, Sil, Kaja, Ref. Niet één iemand waar ik heen kon.

Ik wilde iets doen, bewijzen dat ik oké was. Ik hoorde de stem van mijn vader - '... maar misschien' - en ik vervloekte de PNB. Wat ze daar zeiden of wilden kon me niet schelen. Maar ze waren mijn leven binnengedrongen zonder mijn toestemming en ik wilde ze eruit hebben. Ik wilde iets terug doen.

En terwijl de dagelijkse geluiden van buiten - auto's, kraaien, eksters, bouwvakkers - door het open raam naar binnen waaiden groeide langzaam een idee waardoor ik twee vliegen in één klap kon slaan. Een riskant plan, dat wel. Ik moest alleen het goede moment afwachten.

Het moment kwam toen ik mijn vader de volgende dag hoorde telefoneren terwijl hij in de gang stond. Dat ik boven aan de trap stond merkte hij niet op. Het gesprek ging over een spoedvergadering van de PNB-top. Hij klonk opgewonden, alsof er iets groots te gebeuren stond. Ik hoorde hem zeggen waar die vergadering was: een kantoorpand aan de rand van de stad, en wanneer: overmorgen om halfacht. En ook nog dat het strikt geheim moest blijven. Zo zei hij dat: 'Hoor je, Ernst? Strikt geheim!' Ik stond vlak boven hem en ik hoorde alles. Hoe idioot wilde je het hebben?

Mijn tijd was gekomen, zei ik tegen mezelf. Vandaag op school was ik een eenling geweest, een verschoppeling. Niemand wilde iets met me te maken hebben, behalve Christiaan, maar die gesprekjes wimpelde ik af. Die moest zijn zielige praatjes maar ergens anders gaan verkopen, zei ik. Bij mij was hij aan het verkeerde adres.

In de lessen zat ik achter in de klas en deed of ik oplette. Wat voor cijfers ik zou halen interesseerde me niet.

Van Grol was goddank niet meer naar me toe gekomen. De enige die dat wel deed was Waarsma. Hij vroeg hoe het met me ging en ik zei dat ik oké was. Dat was voor hem genoeg: hij had zijn plicht als mentor gedaan.

Diezelfde avond voerde ik mijn plan uit. Ik ging het ijzer smeden toen het heet was, met het gevaar dat ik mijn handen zou branden. Mijn vader was zoals gewoonlijk niet thuis en tegen mijn moeder zei ik dat ik even weg was. Ze keek me vragend aan maar iets in mijn ogen zorgde ervoor dat ze niet verder vroeg. Ik denk dat ze dacht dat ze bezig was om me kwijt te raken. Of dat echt zo was wist ik niet maar ik liet het maar zo. Dat was iets voor later.

Het licht van mijn fiets deed het niet en ik reed in het donker in de richting van het centrum. In de meeste huizen brandde het licht. Iedereen was binnen en ik kwam niemand tegen. Links van me zag ik de schaduwen van klimtoestellen tussen de bomen. Verlaten.

Ik dacht na over mijn plan. Als alles ging zoals ik had bedacht zouden sommige mensen even heel erg bang worden. Niet fijn voor ze maar er waren ergere dingen. Ik ging duidelijk maken dat ik geen partij had gekozen, en zeker niet voor de PNB. Het enige nadeel was dat ik me in het hol van de leeuw zou moeten begeven. Nooit doen, het hol van de leeuw, zeggen ze weleens. Maar ik had bedacht dat dit de kortste weg was naar succes.

Bovendien liet ik me niet zo gauw bang maken. Ik moest alleen zorgen voor de juiste woorden en de juiste toon. Daarom repeteerde ik al fietsend de zinnen die ik zou zeggen, op een rustige en duidelijke manier. Toen ik de laatste rij huizen passeerde zag ik voor me uit de Noordsebrug. Er reden auto's en fietsen overheen. Eronder was een donker gat waar het fietspad door liep. Een duistere plek vlak onder het gewone leven. Zo zag het eruit.

Ik zette honderd meter voor de brug mijn fiets tegen een paal. Het laatste stuk ging ik lopend, dat gaf meer stevigheid. Het fietspad voor me loste op in het donker maar aan de andere kant van de brug was licht van lantaarns. Afstekend tegen die lichte plek zag ik vaag een paar schaduwen.

Ze waren er.

Ik liep er rustig heen met mijn handen in mijn zakken - kijk mij, onverschillig en op mijn gemak - en daardoor had ik geen enkel verweer tegen de aanval van achteren. Iemand was geluidloos naar me toe gekomen en een arm klemde mijn keel af zodat ik maar nauwelijks adem kon halen.

'Bosroode,' zei een stem in mijn oor. 'Wat kom jij doen?'

Het was de stem van Tazim. Het leek wel of hij me had staan opwachten omdat hij wist dat ik zou komen. Maar dat was natuurlijk onzin. Dat kon niemand weten. Het moest toeval zijn dat hij me aan had zien komen. Ik had hem niet gezien omdat ik alleen maar naar de brug had gekeken. Mijn eerste reactie was om achteruit te trappen maar ik beheerste me. Tazim was precies degene voor wie ik naar deze plek was gekomen. Ik wilde hem niet neerslaan - weinig kans deze keer - ik wilde hem spreken. Dat kon niet zolang mijn keel werd dichtgeknepen, en dus liet ik me gewillig meenemen naar de schaduwen onder de brug. Het waren er een stuk of zes, zag ik in de gauwigheid. Een paar leunden tegen de muur en een paar stonden bij een scooter. Ik herkende niemand.

'Ik heb een spion,' zei Tazim. Hij haalde zijn arm van mijn keel, maar als ik al weg had willen rennen had ik geen kans. Ze zouden me zo weer te pakken hebben. Een van de schaduwen maakte zich los van de muur en deed twee stappen naar me toe. Hij was langer en zo te zien ook ouder dan Tazim. Hij droeg een donker jack op een strakke spijkerbroek. Zijn haar was hoog opgeknipt en hij had een zwarte, zorgvuldig getrimde baard.

Ik stak mijn hand uit. 'Ik ben Michiel,' zei ik. 'En ik ben geen spion.'

Precies zoals ik me had voorgenomen. Ik zag dat vaak genoeg op het schoolplein. Gewoon elkaar een hand geven en wat daarna kwam zagen we dan wel.

Het werkte. Het brak het ijs, heel even, maar misschien lang genoeg.

'Ik ben Walid.' Hij was lichtelijk overrompeld en beantwoordde mijn handdruk. 'Dus je bent geen spion.'

'Nee,' zei ik.

'Wat ben je dan wel?'

Hij vroeg het op een rustige manier, een beetje nieuwsgierig. Maar ik zag aan hem dat hij van een ander kaliber was dan Tazim. Niet alleen ouder maar ook harder.

'Ik ben een vriend van Ref,' zei ik, maar die naam zei hem niets.

'Ref?' vroeg hij.

'Deze gast heet Bosroode,' zei Tazim. 'Zijn vader is van de PNB.'

Die naam kende Walid dan weer wel. Zijn ogen vernauwden zich even. 'Van de PNB, hè,' zei hij. 'Dan ben je hier niet op de goeie plek.'

'Mijn vader is van de PNB, dat is waar,' zei ik. 'Maar ik niet.' Ik had me min of meer hersteld van de schrik. Ik was in gesprek en dat was precies wat ik wilde. Zolang ik in gesprek was werd ik niet in elkaar geslagen. Hij zei niets en keek me afwachtend aan, een beetje geamuseerd leek het wel.

'Ref, dus,' zei ik. 'Ref den Hertog.'

'Die jongen van mijn school,' legde Tazim uit. 'Die ligt in het ziekenhuis door die steen tegen zijn kop. Bij die demonstratie, je weet wel.' Tazim was hier niet de aanvoerder, dat zag ik. Misschien was hij binnen deze groep wel de enige die nog op school zat.

Een van de jongens bij de scooter zei iets in het Marokkaans. Ik keek naar hem en bedacht dat dat wel eens een broer van Tazim zou kunnen zijn. Ze leken op elkaar. Walid maakte met zijn rechterhand een gebaar naar achteren dat hij zijn mond moest houden.

'Ik was daar ook,' zei ik en ik vervolgde haastig dat ik er niet was om te demonstreren maar alleen maar om te kijken. 'Ik heb gezien wie er de eerste steen gooide,' zei ik. 'Het was iemand van de PNB.'

'Van de PNB,' zei hij. 'En nu kom jij dat hier vertellen. Jij komt je vader verraden.' Hij schudde ongelovig zijn hoofd.

'Mijn vader heeft geen stenen gegooid. En ik vertel het omdat Ref mijn vriend is,' zei ik.

'En wat moeten wij daaraan doen?'

'Ik heb belangrijke informatie,' zei ik.

Ze kwamen allemaal iets dichterbij alsof ze bang waren dat ze

iets zouden missen. 'Belangrijke informatie waarover?'
'Over de PNB.'
'En waarom moet ik jou geloven?' vroeg Walid.
Ik zei: 'Kijk maar naar mijn eerlijke gezicht.' Hij keek naar
mijn eerlijke gezicht en glimlachte zowaar even.
'Een grappenmaker,' zei hij. 'Geef die informatie maar.'

19

De twee dagen tot aan de vergadering waarover ik mijn vader had horen bellen moet ik op school als een zombie rondgelopen hebben want ik herinner me er bijna niets van. Ik weet alleen nog dat ik op een keer in de gang Nourdin een beweging naar me toe zag maken maar hij werd door Tazim tegengehouden. Apart. Op school was Tazim in elk geval de baas van het clubje.

Een andere keer, in het lokaal van wiskunde, passeerde ik voor de les begon Jesper en Kaja. Ze waren druk in gesprek maar stopten abrupt toen ik langs hen liep. Ik ving in een flits de blik van Kaja op. Die blik was niet vriendschappelijk, zeker niet. Maar hij was ook niet afwijzend. Mooier kon ik het voorlopig niet krijgen.

Bij Engels lukte het me om Van Grol niet één keer aan te kijken, en gelukkig bemoeide hij zich ook niet met mij. Volgens Jesper hoorde hij dus ook bij de PNB.

En zo was en bleef ik alleen, op weg naar school, in de lessen, en daarna op de terugweg. Het stadsleven gleed langs me heen alsof ik ook daar geen deel aan had. In ieder geval had ik ruim de tijd om na te denken. Aan mijn duistere ontmoeting met Tazim en zijn vrienden bijvoorbeeld. Dan kon het gebeuren dat ik er opeens aan twijfelde of ik daar wel heen had moeten gaan. Maar ik schoof die twijfel van me af als ik in gedachten Ref weer zag liggen. Als ik zijn kleuren zag.

Wat er op de dag voor de bewuste vergadering na schooltijd

gebeurde was toeval. Ik maakte op weg naar huis een tussenstop bij de snackbar op de hoek van de Ganzenmarkt. Ik wilde mijn thuiskomst nog even uitstellen en ik had trek in iets wat hartig, vet en zout was: mijn traditionele patatje oorlog.

Ik zat het in mijn eentje weg te werken toen er twee mannen binnenkwamen. En een van hen had sluik, blond haar en een bril. Hij droeg deze keer geen camouflagepak maar met een schok herkende ik hem. Het was de man die ik de steen had zien gooien. Ik twijfelde geen seconde, het was hem. Wie de andere man was wist ik op dat moment nog niet. Ze bestelden iets en gingen toen bij het raam aan de andere kant zitten. Ik kon niet horen waar ze het over hadden.

Ik zag het gezicht van die klootzak van opzij. De neiging om op hem af te stappen en hem te zeggen wat ik van hem dacht onderdrukte ik snel. Ik at het ene frietje na het andere zonder het te proeven en probeerde te bedenken hoe ik hem kon terugpakken.

En toen kwam er iemand binnen van wie ik veel meer schrok: Christiaan. In een reflex draaide ik me zo ver mogelijk om, mijn gezicht naar een reclameposter van Aviko aan de muur. En het werd nog gekker. Christiaan ging niet naar de toonbank om iets te bestellen maar hij liep naar de twee mannen bij het raam. 'Hallo, pa,' zei hij.

Hallo, pa?

Ik keek voorzichtig om en zag dat hij het niet tegen de stenengooier had maar tegen de ander. Hij bleef nog even staan praten en ging zonder om zich heen te kijken weer naar buiten. Ik ademde langzaam en voorzichtig uit. Dat had er nog bij moeten komen. Dat ik hier een beetje met Christiaan in de snackbar zat. Ik bleef nog even zitten, stond toen op, gooide het bakje met de rest van mijn patat in de vuilnisbak bij de deur en vertrok.

Op weg naar huis kwam ik op het idee dat ik - niet dat ik dat graag deed, maar goed - voor heel even met Christiaan moest aanpappen. Ik moest net doen alsof omdat ik zijn vertrouwen moest winnen. Voor één keertje dan. Het zou een nieuwe stap zijn op het pad van de wraak, zei ik tegen mezelf. De eenzame strijder en zijn opdracht. Hmmm, nogal dramatisch.

De volgende ochtend ondernam ik direct actie. Ik zag Christiaan bij zijn fiets staan en ik liep naar hem toe.

'Yo, Christiaan,' zei ik.

Hij keek verrast om en wist niet of hij mijn toenadering gek moest vinden of dat hij vereerd moest zijn. Hij koos voor iets ertussenin.

'Hey, Michiel,' zei hij voorzichtig. 'What's up?'

Ik zei dat ik zijn vader had gezien gisteren. Hij vroeg verbaasd hoe ik zijn vader kende, en ik zei dat ik ze een keer met zijn tweeën had gezien, ergens in de stad. Ik wist niet meer precies waar, zei ik.

'Is jouw vader lid van de PNB?' vroeg ik.

'Lid volgens mij niet,' zei hij. 'Maar hij is het er wel mee eens. Dat wist je toch al?'

Natuurlijk wist ik dat. Dat zei ik tegen hem. Ik zei dat ik hem gisteren had zien lopen met een blonde man met half lang sluik haar en een bril en dat ik die man moest spreken. Kende hij die man soms?

'Dat zou Henny Blok wel eens kunnen zijn,' zei hij. 'Waarom moet je die spreken?'

Ik keek samenzweerderig om me heen. 'Dat mag ik niet zeg-

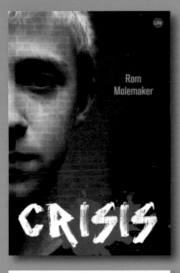

Life

Rom
Molemaker

CRISIS

Rom Molemaker

Drijfjacht

YA THRILLER

Rom Molemaker

UIT DE
SCHADUW

Over liefde en haat
en wat dat met iemand kan doen

ROM MOLEMAKER

MOORD
OP
SCHOOL

gen,' zei ik. 'Hij is toch ook PNB?' Dat laatste was een gok, maar Christiaan knikte instemmend.

'Ja,' zei hij. 'Hij is een goeie vriend van mijn ouders.' Hij was zo verbaasd over ons gesprekje dat hij niet bedacht dat het toch een beetje merkwaardig was dat iemand uit havo4 een vriend van zijn vader wilde spreken.

'Ik weet niet waar hij woont,' zei ik plompverloren.

Hij trapte er glorieus in. 'O, die woont in de Argentastaat,' zei hij. 'Ik heb er weleens iets moeten afgeven, op nummer 61 geloof ik. Heb je een boodschap van je vader?'

'Ik heb al teveel gezegd,' zei ik geheimzinnig. 'Het is voor het goeie doel.'

'Ik snap het,' zei hij ijverig. 'Ik snap het helemaal.'

'Nou, bedankt.' Het had wel lang genoeg geduurd vond ik. 'Later, hè?'

'Later,' zei hij stoer.

Ik liep bij hem vandaan naar de deur. Ik werd een beetje misselijk toen ik bedacht hoe hij me adorerend nakeek. Maar zoals ik al zei: het was voor het goeie doel.

Deze avond zou er één vol actie worden.

20

Terwijl de PNB aan het vergaderen was op een geheime plek aan de rand van de stad reed ik naar de Argentastraat. Ik had uitgevogeld dat dat een zijstraat van de Singel was, niet eens zo ver bij school vandaan.

Bij het begin van de Singel stopte ik om iets van de straat op te rapen.

Het was een rustige avond. Nog wel, dacht ik bij mezelf. Nog wel. Daar zou voor een aantal mensen niet zo'n klein beetje verandering in komen, op verschillende plekken. En ik was de spin in het web. Ik had zelf de leiding in handen genomen.

De Argentastraat was vrij kort met halverwege één lantaarnpaal. Het was er leeg en donker. Ik voelde naar de vandalenviltstift die in mijn jaszak zat. Het ging gebeuren.

Maar toen ik het straatje was doorgelopen ontdekte ik dat nummer 61 helemaal niet bestond, daar was het niet lang genoeg voor. Lekker dan. Langzaam lopend ging ik op zoek naar het goede naambordje. Het was nummer 16, dat had ik kunnen bedenken. Het bordje met de naam *Blok* zat onder de brievenbus. De gordijnen waren niet dicht en er brandde één schemerlamp in de hoek van de kamer. Hij was thuis, al zag ik in de gauwigheid niet of er iemand in de kamer was. Ik vroeg me af of hij getrouwd was of misschien zelfs kinderen had. Maar daar wilde ik niet aan denken. Als je het niet weet...

Opeens kwam Ref mijn gedachten binnen lopen. *Als je het niet weet, weet je het niet.* Dat was zo'n typische Ref-opmerking, ik hoorde het hem bijna zeggen. Als ik al twijfelde over wat ik van plan was dan was die twijfel nu weg.

Actie! Nu!

Ik liep terug naar de Singel. Ik keek links en rechts en zag dat het daar ook zo goed als leeg was. Ik liet een paar fietsers passeren en ging terug naar nummer 16. Het was zover. Ik haalde mijn viltstift uit mijn jaszak en schreef haastig, met hoekige letters, *moordenaar* op de deur, naast zijn naam. Blok, moordenaar. Toen deed ik een paar stappen achteruit en gooide de halve baksteen die ik een eind terug van de Singel had opgeraapt met kracht door de ruit van de woonkamer. Op datzelfde moment dacht ik binnen een beweging te zien maar toen was de steen al onderweg.

Het had het effect van een explosie en het moest in de hele stad te horen zijn. Maar toen het geluid van de klap was weggestorven was ik alweer bijna bij de Singel. Achter me hoorde ik een schreeuw. Was hij al buiten? Had iemand me gezien? Ik rende met een noodgang naar de volgende zijstraat. Dat zou er wel eens een beetje verdacht uit kunnen zien maar ik moest als de bliksem maken dat ik wegkwam. In de zijstraat stond mijn fiets. Ik racete in tegenovergestelde richting de straat uit, sloeg linksaf, daarna rechtsaf, nog een keer rechtsaf. Ik minderde vaart tot ik me uiteindelijk in een rustig tempo invoegde in het verkeer. Missie geslaagd.

Ik veegde met de rug van mijn hand het zweet van mijn voorhoofd en mijn opwinding zakte maar heel geleidelijk. Man, dat was nog eens een knal. Ik stelde me die man voor terwijl hij door de kamer liep en plotseling een steen dwars door zijn ruit kreeg. Hij zou geraakt kunnen zijn, bedacht ik. Maar kijk, daar had hij zelf ook niet bij nagedacht toen hij zijn steen naar de Lange Nieuwstraat gooide. Ik had er een briefje omheen moeten doen met 'hier heb je hem terug' erop of zoiets.

Ik maakte me wel een beetje zorgen over de schreeuw die ik had gehoord. Ik was misschien te lang bezig geweest met het zoeken naar het goede adres. Iemand aan de andere kant van de straat had zich kunnen afvragen wie die duistere figuur was die daar heen en weer liep in de straat. Maar het was donker geweest en niemand daar kende me. Niemand wist wat ik had gezien op het Domplein, alleen mijn moeder en mijn vader. Ik dacht aan die vergadering waar hij heen was en ik voelde een vlaag van spijt. Ik had een stel gasten op hem afgestuurd die ik niet eens goed kende. Ik wist ook niet wat ze zouden doen. Alleen bang maken, had ik gezegd. Ja ja, dat zouden ze doen, zeiden ze. Alleen bang maken, niks ergs. Ik wist alleen niet of ze zich daaraan zouden houden. Maar toen werd mijn kwaadheid weer de baas over mijn geweten. Ik ademde inmiddels weer rustig terwijl ik mijn straat in fietste. Er stonden twee politieauto's voor ons huis.

Ik liep met mijn fiets over het paadje achterom naar ons tuinhek. Maar toen ik daar was stond er opeens, geel en donkerblauw, een politieman voor mijn neus.

'Wat doe jij hier?' vroeg hij terwijl hij met een zaklamp in mijn ogen scheen.

'Ik woon hier,' zei ik. 'Kan die lamp uit?'

'Je ID graag.' De lamp ging niet uit.

Het klonk erg serieus en het leek me verstandig om niet tegen te stribbelen. Ik haalde mijn ID uit mijn portemonnee. Mijn adem zat hoog en het zweet kwam terug op mijn voorhoofd.

'Bosroode,' zei hij toen hij de pas bekeken had. 'Klopt.'

'Wat is er aan de hand?' vroeg ik.

'Dat hoor je binnen wel,' zei hij. Hij richtte zijn zaklamp weer op mijn gezicht en zei: 'Ben je ergens bang voor?'

'Geschrokken,' zei ik. 'Dat is toch niet zo gek?'

Daar zei hij niets op maar hij deed het hek voor me open, zei in zijn portofoon dat ik eraan kwam, en ik liep de donkere tuin in. De gordijnen waren dicht. Ik zette mijn fiets tegen de schuur en opende de keukendeur. Er kwam direct iemand vanuit de gang naar me toe. Nog een politieman.

'Jij bent Michiel, zegt je moeder. Ja?'

Ik knikte en liep langs hem heen naar de woonkamer. Daar zat mijn moeder op de bank, met een derde politieman tegenover haar. De televisie stond nog aan, met het geluid zo zacht dat ik het bijna niet kon horen. De Rijdende Rechter.

'Wat is er gebeurd, ma?' vroeg ik, bang voor het antwoord. Fuck, wat hadden ze gedaan?

Ze keek me woordeloos aan, niet in staat te zijn om iets te zeggen.

'Het gaat om je vader,' zei de politieman.

'Mijn vader?' Mijn adem stokte.

'Hij is gegijzeld.'

Ik dacht dat hij gewond was of nog veel erger. Mijn opluchting was zo groot dat ik er nog net op tijd aan dacht niet in de lach te schieten. Gegijzeld klonk veel minder erg dan dood. En dus keek ik hem aan met een grimas die net zo goed afgrijzen had kunnen tonen.

'Door wie?' wist ik uit te brengen.

'We denken door moslimterroristen,' zei hij aarzelend. 'Maar we weten het niet zeker.'

Tazim? Walid? Moslimterroristen? Ik schudde ongelovig mijn hoofd terwijl ik het onnatuurlijk koud kreeg.

'Moslimterroristen?' vroeg ik. 'Hoe kan dat nou?'

'Er was een vergadering van de PNB.' Mijn moeder had haar stem terug. 'Heleen Zilvermunt is ook weg. En nog twee anderen.'

'Maar zijn ze dan niet gewoon ergens naartoe?' vroeg ik. 'Hoe weten jullie nou...?'

'Ze hebben gebeld,' zei mijn moeder.

'Wie?'

'Luister, jongen,' zei de politieman op vaderlijke toon. 'Er is nog niets zeker. Ze zijn het telefoontje aan het natrekken. Het kan ook een grap zijn.'

Een grap, daar geloofde ik dus niets van maar ik ging er niet op in. 'En wat doen we nu?' vroeg ik.

'Wachten,' zei de man.

Ik ging naast mijn moeder op de bank zitten. Ik was liever naar mijn eigen kamer gegaan maar dat zou niet passend zijn geweest. Ik moest niet alleen maar met mijn eigen dingen bezig zijn. Mijn moeder steunen in zware tijden, zoiets. Ze zat voor zich uit te staren, haar handen in haar schoot gevouwen. Nu en dan zei ze: 'Ach, jongen,' of: 'Wat moeten we nu?'

'Slaapt Saartje?' vroeg ik.

Ze knikte.

'Weet ze het al?'

Ze schudde haar hoofd en legde een hand op mijn knie. 'Jongen toch,' zei ze. Meer kwam er niet uit.

.

21

Toen ik weer veilig en alleen op mijn kamer was drong tot me door wat een puinhoop ik ervan had gemaakt. In mijn woede over Ref had ik niet nagedacht over de gevolgen van mijn acties. Nou ja, wat er met Heleen Zilvermunt gebeurde kon me niet zoveel schelen. Maar ik had mijn vader verraden.

Ik voerde een geluidloos gesprek met mezelf.

'Die klote PNB vraagt zelf om moeilijkheden met hun rare uitspraken.'

'Maar ik kon toch niet weten dat ze zo ver zouden gaan? Ik bedoelde andere moeilijkheden. Bang maken, had ik afgesproken.'

'Wat had je dan gedacht? Dat ze alleen maar even boe zouden roepen?'

'Ik weet niet meer wat ik had moeten denken. Ik ken ze toch niet?'

'Daarom juist. Je had beter na moeten denken. Nou hebben ze je vader gegijzeld. Je váder, stomme zak!

Het gesprek stokte. In mijn verbeelding zag ik hem ergens in een donker hok, in een muffe kelder. Vastgebonden en bang. Bang ja, dat zou in elk geval wel gelukt zijn.

Mijn vader, mijn vrolijke vriend. In een flits kwamen herinneringen aan vroeger tevoorschijn. Een camping in de duinen. Trimlopen over het strand. De dierentuin. Voorlezen. Patat halen.

Samen op de racefiets. Er was de laatste jaren te veel veranderd en hij was verder weg dan ooit, maar mijn vader was nog steeds mijn vader en nu had ik het gevaar op hem afgestuurd. Het was me trouwens een raadsel hoe ze dat in godsnaam voor elkaar hadden gekregen. Zilvermunt had altijd beveiligers om zich heen. Om die uit te schakelen moesten Walid en zijn vrienden minstens bewapend zijn. Ik kreeg visioenen van vuurgevechten en vallende slachtoffers. Ik had in mijn onnozelheid iets kleins bedoeld maar het was boven mijn macht gegroeid en ik had er geen controle meer over.

Ik hoorde de stemmen van beneden. De politie was nog steeds bij mijn moeder. Nu was het natuurlijk wachten op beveiliging, dat kon er nog wel bij. Goed gedaan, Michiel!

Als ik wilde weten waar mijn vader was, zou ik naar Tazim moeten gaan. Ik moest tegen hem en de anderen zeggen dat dit niet mijn bedoeling was geweest. Maar toen ik dat bedacht wist ik direct dat dat niet zou werken. De schaduwen onder de Noordsebrug zouden me zien aankomen. Dat was een doodlopende en waarschijnlijk ook gevaarlijke weg.

Fok, morgen moest ik naar school, ook nog. Zoon van gegijzelde politicus gaat gewoon naar school. Of er niets aan de hand is. Ik overwoog de mogelijkheid om thuis te blijven vanwege een emotionele crisis, dat zouden ze toch wel begrijpen. Maar toen kwam er een naam in me op waar ik nog niet aan had gedacht: Rafik. Hij kende Tazim beter dan ik. We waren dan wel geen vrienden maar vijanden waren we toch ook niet geweest. Als ik hem te spreken wilde krijgen zou ik wel naar school móéten. Als dat tenminste zou lukken. Maar thuisblijven zou helemaal geen resultaat opleveren. Ik moest naar school om het te ondergaan, niets aan te doen.

Ik zag het klaslokaal voor me, ik dacht aan de lege plek van Ref en direct zag ik het gezicht weer van de man die de steen had gegooid. De steen die hij met een noodgang weer had teruggekregen. Van dat laatste had ik geen spijt. Daar zou ik misschien spijt van krijgen als iemand me had gezien.

Ik dacht aan Kaja. Dat ik had ontdekt dat ze Refs vriendinnetje was. Dat was een schok geweest maar ondanks dat was zij toch een van de weinigen die ik persoonlijk moest vertellen dat ik niet de slechterik was die ze dachten dat ik was. Maar Kaja was heel ver weg.

Ik ging toch maar weer naar beneden en toen ik in de gang was hoorde ik door de half openstaande deur de politieman iets zeggen over een aanslag, op een PNB-lid.

'Een aanslag?' vroeg mijn moeder verschrikt toen ik binnen-kwam.

'Ik kreeg er net een bericht over. In de Argentastraat is bij ie-mand een steen door de ruit gegooid.'

Ik deed verbaasd, voor zover dat lukte. Ik ben niet zo'n toneel-speler. Maar hij keek mijn moeder aan en lette niet op mij.

'Er is een vrouw geraakt,' zei hij.

Ik schrok. Daar zou je het hebben. Als je met een steen gooit zonder precies te weten waar die naartoe gaat neem je een ri-sico. Daar had ik niet goed bij nagedacht in de Argentastraat. Ik zag alleen maar die ruit.

'Er stond iets op de deur gekalkt,' zei de politieman. 'Moorde-naar, stond er.

'Waarom?' vroeg mijn moeder. 'Wie had hij vermoord? En hoe is het met die vrouw?'

'Ze heeft snijwonden door rondvliegend glas. Ik weet niet hoe erg het is. En dat van die moordenaar wordt onderzocht. Het lijkt op een wraakactie.'

Ik ademde voorzichtig uit. Een wraakactie, inderdaad, maar er was niemand dood. Het had veel erger kunnen zijn. Niet al-leen die vrouw - zijn eigen vrouw? - was door het oog van de

naald gekropen maar ik zelf ook, in een flits van één seconde.
'Ernstige zaak,' zei de politieman. 'Een complot tegen een politieke partij.' Hij liet niet merken wat hij daar zelf van vond. Hij keek mijn moeder aan. 'Hebt u nog meer kinderen?' vroeg hij.

Ze schrok. Ze deed moeite om geconcentreerd te blijven terwijl ze om zich heen de chaos alleen maar zag toenemen. 'Saartje,' zei ze. 'Die ligt allang in bed. Ze slaapt. Waarom vraagt u dat?'

'We zullen bescherming moeten regelen,' antwoordde hij. 'Voor u en uw gezin.'

Fok, zie je, dat had ik kunnen bedenken. Ik had me een stel waakhonden op de hals gehaald. En ze wisten niet dat dat absurd was. Er was helemaal geen complot, ik was geen onderdeel van een terroristische organisatie. Alles begon bij één boze jongen die wraak wilde. Ik was die ene rollende steen waarmee de lawine begon, meer niet.

'Betekent dat dat ik de hele tijd van die gasten om me heen heb?' vroeg ik. 'Met van die schouders en oortjes in? Nee, hè?'

'Ze kunnen jou ook te grazen nemen,' zei de politieman nogal tactloos. 'Of je zusje.'

'O, alsjeblieft.' Mijn moeder hield haar handen voor haar mond.

'Mij?' zei ik kwaad. 'Ik ben niet van de PNB. Ik heb daar niks mee te maken. Waarom moet ik dan beveiligd worden?'

'We moeten ze geen enkele kans geven.'

'Wíé niet? Weten jullie dan wie de daders zijn?'

'Officieel niet.' De man schudde zijn hoofd. 'Maar dat kunnen we wel raden.'

Ze hoefden nergens naar te raden als ik ze zou vertellen wat er aan de hand was. Een groep Marokkanen had de top van de PNB gegijzeld op aanwijzingen van de zoon van een van de slachtoffers. Ik zag het in gedachten al in een vette kop op de voorpagina van *De Telegraaf* staan.

Mijn moeder keek me radeloos aan en ze zei: 'Ik word gek als ze jullie ook iets aandoen.'

'Dat doen ze niet, ma,' zei ik. Maar terwijl ik het zei wist ik dat niemand haar dat kon garanderen. Niet meer.

'Hoe hebben ze het eigenlijk voor elkaar gekregen?' vroeg ik. 'Er was toch bewaking?'

Daar had ik namelijk op gerekend, op die bewaking. Het fort was beveiligd. Walid zou geen schijn van kans maken, alleen van een afstand misschien. Er kon niets gebeuren. Nou, wel dus.

'Ze hadden stroomstootwapens,' zei de politieman. 'Verboden.'

'O, verboden,' zei ik honend. 'Nou, dat scheelt, zeg!'

'Michiel,' zei mijn moeder sussend.

'Niks, Michiel,' zei ik. 'Wat stelt die beveiliging dan nog voor?'

Opeens ging het voor mij niet over de PNB maar uitsluitend over mijn vader. Ik wilde mijn vader terug. Ik wilde mijn vader van vróéger terug. Ik was als een idioot bezig geweest en ik kon het niet meer terugdraaien, niet zonder mezelf in de problemen te brengen. Ref, waarom ben je niet gewoon thuisgebleven, dacht ik nogal onlogisch.

'Waar was je trouwens vanavond?' vroeg de politieman.

Daar had ik al op geoefend. 'Een eindje om,' zei ik. 'Nadenken.'

'Nadenken?'

'Over een vriend van me. Hij ligt in het ziekenhuis.'

'Daar zou ik maar even een tijdje mee stoppen,' zei hij.

'Met nadenken?' vroeg ik.

'Je snapt me wel.' Hij keek me afkeurend aan. 'Zolang we geen zekerheid hebben wie hierachter zitten is alleen naar buiten gaan in het donker misschien niet zo handig.'

Ik schudde mijn hoofd. Er was helemaal geen complot tegen de PNB - hoopte ik in ieder geval - maar dat zei ik niet.

Dat durfde ik niet te zeggen.

's Avonds zond de NOS in het late journaal een verklaring uit van PNB'er Hans Brigging. Hij meldde dat 'nu duidelijk was geworden wat voor land Nederland dreigde te worden'.

Dat 'de PNB allang had gewaarschuwd voor dit gevaar'. Dat 'het Nederlandse volk had gekozen voor de PNB, en zich dat niet zou laten afpakken'. En ten slotte 'dat hij nu niet meer kon instaan voor de veiligheid van moskeeën en andere instellingen'. Het leek op een regelrechte oorlogsverklaring.

22

Die nacht was de slaap mijn beste vriend, mijn enige vriend, beter gezegd. Ik had geen andere vrienden. Ik kon me zelfs niet herinneren of ik had gedroomd en het duurde even voor ik terug was in de wakkere wereld. Maar toen kwamen mijn hersens op gang en al snel draaiden ze op volle kracht. Ik probeerde zo goed mogelijk alles op een rijtje te krijgen. Natuurlijk kon ik struisvogeltje gaan spelen en net doen of er niets was gebeurd maar ze zouden me niet met rust laten. Tazim niet, de gedachte aan Ref niet en de politie niet. Op de achtergrond dreigde het gevaar dat ik in de Argentastraat niet voorzichtig genoeg was geweest. Dat iemand vanuit het donker had toegekeken en dat ze erachter zouden komen wie die stenengooier was.

Ik moest die viltstift weggooien. Ik moest dat 'eindje om' van gisteravond vervangen door een wat duidelijker omschrijving van de plek waar ik was geweest om na te denken. Niet te dicht bij de Argentastraat maar ook niet aan de uiterste overkant van de stad, dat zou kunnen opvallen. Ik moest eerst dit en dan dat en dan…

Ik moest helemaal niets, hield ik mezelf voor. Zelfs als iemand me bezig had gezien zouden ze niet hebben geweten wie ik was. Ik kwam daar nooit. Aan de andere kant zou iemand van de politie die niet al te dom was kunnen bedenken dat het woord 'moordenaar' zou kunnen wijzen op een wraakactie. Die man beneden had het al genoemd. En zelf had ik gezegd dat er een vriend van mij in het ziekenhuis lag. Dan zouden ze zomaar het verband kunnen leggen.

Nee, Michiel. Waarom zouden ze dat doen? Niemand weet dat jij die man die steen hebt zien gooien. Er was helemaal geen verband, niemand wist het, niemand.

Alleen mijn vader en mijn moeder. Mijn vader zou het kunnen bedenken ja, maar mijn moeder niet.

Nee, mijn moeder niet, zei ik tegen mezelf.

En plotseling, vanuit het niets, kwam de gedachte aan Christiaan naar binnen waaien. Misschien was hij niet alleen maar een eng mannetje maar ook een die nadacht. Als hij hoorde van de aanslag op Henny Blok zou hij wel eens direct aan mij moeten denken. Waarom ik had willen weten waar die gast woonde. Fok, ja, dat gevaar was nog veel groter dan iemand die een schim had gezien in het donker.

Leer nadenken, Michiel!

Ik ging naar de badkamer en schoof het gordijntje iets opzij. Ja hoor, daar stond een politieauto. Lekker handig. Laat maar zien jongens, hier woont-ie. Zou die daar de hele nacht hebben gestaan?

Ja, die had daar de hele nacht gestaan, hoorde ik toen ik beneden kwam. En ons huis zou de komende tijd in de gaten worden gehouden.

Ik keek naar buiten. Ik zag de politieman die gisteren bij ons binnen was bij de auto staan. Hij klopte op het dak en kwam de voortuin in. De auto reed weg maar direct kwam er een andere voor in de plaats. Geen politieauto maar een neutrale Opel Astra met mannen in burger. Maar toch, vierentwintig uurs-bewaking, inclusief aflossing. Fijn. Ik smeerde een boterham.

Saartje zat, naast mijn moeder, tegenover me. Ze keek ons met grote ogen aan en vroeg: 'Wanneer komt papa weer thuis?'

'Alles komt goed, lieverd,' zei mijn moeder terwijl ze een hand op Saartjes hoofd legde. 'Ik beloof het, echt waar.' Van die zinnetjes die ouders tegen hun kinderen zeggen zonder dat ze weten of ze die belofte wel na kunnen komen. Dat wist ze namelijk niet. Dat wist ik ook niet. Ik had de steen wel van de berg laten rollen maar ik kon hem niet meer inhalen. En nu werd Saartje ook meegesleept. Ik begon mezelf een steeds grotere idioot te vinden.

'Goed,' zei de politieman toen hij binnen was. 'U hebt ons nummer, u kunt altijd bellen.'

Ik nam snel nog een hap van mijn boterham en spoelde die weg met een slok thee. 'Ik ga naar school,' zei ik. 'Als dat tenminste mag.'

De politieman draaide zich naar me om. 'Op welke school zit jij?' vroeg hij.

Ik zei dat ik op het Augustinuscollege zat en hij dacht even na. 'In het centrum, hè?' zei hij. 'Daar zitten toch...' Hij maakte zijn zin niet af maar ik begreep heel goed wat hij had willen zeggen.

'Of daar Marokkanen op school zitten? Ja, het barst ervan.' Dat was nogal overdreven maar ik had zin om recalcitrant te doen. Dat heb ik wel vaker met politiemensen.

Hij gaf me zijn kaartje. 'Dit nummer bellen als er iets verdachts gebeurt.'

'De school van Saartje is twee straten hiervandaan,' zei mijn moeder.

De politieman knikte. 'Er loopt zo dadelijk iemand met haar mee,' zei hij. 'Moment.' Hij liep naar de gang en ik hoorde hem in zijn portofoon praten.

'Kun jíj me niet brengen?' vroeg Saartje met een ongelukkig gezicht. Ze kon niet bedenken waarom een politieagent beter op haar kon passen dan haar eigen moeder

Mijn moeder keek haar met een diepe zucht aan. 'Ik ben bang van niet, liefje,' zei ze. 'We zijn zelf even niet de baas.'

'Maar waarom dan niet?'

Mijn moeder aarzelde, omdat ze Saartje niet bang wilde maken. Maar dat was ze al, ik zag het. 'Misschien is het maar voor even,' zei ze, terwijl ze mij aankeek.

Ik antwoordde niet maar ik geloofde er niets van.

Het was om te vloeken zo lullig maar ik fietste naar school met een agent vlak achter me aan. Zo'n man met een fiets-helm, op een stadsbike. Hij kwam eerst naast me rijden maar ik zei dat ik dat niet wilde. Dan had hij net zo goed mijn hand vast kunnen houden.

Natuurlijk was ik liever thuisgebleven maar ik moest naar school, met Rafik praten of met Tazim. Of ze dat nou wilden of niet.

Bij het gangetje naar het plein met de fietsenrekken bleef de agent achter, niet nadat hij tegen me had gezegd dat ik niet op het plein moest blijven hangen maar dat ik direct naar bin-nen moest gaan om me te melden bij de conciërge.

'Sterkte,' zei hij nog. Ik antwoordde niet omdat ik me aan het voorbereiden was op het moment dat ik, gelukkig niet onder bewaking, op het plein zou verschijnen. Op wie ik als eerste zou tegenkomen.

Nou, ik kwam helemaal niemand tegen. Er werd naar me ge-keken, zij het niet door iedereen, maar niemand kwam naar me toe, ook mijn klasgenoten niet. Het viel me nog mee dat ze me hun rug niet toedraaiden.

Ik zette mijn fiets in een van de rekken terwijl ik mezelf dwong om alles zo rustig en zo nadrukkelijk mogelijk te doen. Toen liep ik naar de deur. Een paar meiden die daar stonden gingen zonder iets te zeggen aan de kant om me door te laten. Toen ik bij het conciërgehok kwam zag ik daar iemand achter Remco met zijn rug tegen de muur op een kruk zitten. Hij had een bekertje koffie in zijn hand en hij grijnsde vriendelijk naar me. Geen uniform maar wel politie, ik wist het zeker.

'Dag, Michiel,' zei Remco, een tikje behoedzaam. 'Gaat het wel?'

'Ja hoor,' zei ik. 'Hoezo, waarom zou het niet goed gaan?'

'Grapjas.' Hij lachte niet. 'Je moet even wachten op Barkvaarder.'

Barkvaarder, de bewaker van de orde in de school. Ik was daar een bedreiging voor geworden.

'Hij komt er zo aan,' zei Remco.

Ik keek naar hem en toen naar de politieagent die schuin achter hem zat. Ik hoefde niet beschermd te worden. De school moest tegen míj beschermd worden.

23

Niet dat Rafik me expres vermeed maar ik kon niet bij hem in de buurt komen zonder opdringerig te worden. Geduldig wachten tot er een mogelijkheid kwam was het enige wat erop zat.

Ik deed mijn best om de indruk te wekken dat ik de lessen volgde maar ik kan me niet eens meer herinneren wat voor lessen dat waren. Er was ook niet één docent die zijn best deed om me erbij te betrekken. Ook Van Grol niet. Hij besteedde geen aandacht aan me. Ik ging ervan uit dat het me gelukt was om hem duidelijk te maken dat ik daar geen prijs op stelde. Wel merkte ik dat er tersluiks naar me werd gekeken toen hij aan het begin van de les het lokaal binnenkwam. Ja, wat dachten ze, dat ik zou opstaan om hem een hand te geven of zo?

Pas tegen het eind van de grote pauze - ik had gezien dat Rafik naar de wc ging - kon ik hem onderscheppen. Hij was alleen. Toen hij me zag wilde hij eerst omdraaien en de wc-ruimte weer binnengaan maar dat deed hij toch maar niet. Hij wilde langs me heen lopen maar ik ging in de weg staan.

'Laat me erdoor, man,' zei hij.

'Rafik, luister.' Ik had me voorgenomen om hem onder geen voorwaarde aan te raken en dat deed ik ook niet. Ik bleef alleen maar voor hem staan. 'Ik moet echt even met je praten. Het is belangrijk.'

Hij moet aan me gezien hebben dat ik het serieus meende want hij bleef staan. 'Wat moet je dan?' vroeg hij.

'Eerst dit,' zei ik. 'Hoe goed ken jij Tazim?'

'Hij woont bij mij in de straat,' zei hij terwijl hij me achterdochtig aankeek. 'Hoezo?'

'Ik heb hem vandaag nog niet gezien,' zei ik. Ik keek achter me of er iemand was maar de lessen stonden op het punt om te beginnen en de gang begon leeg te raken. 'Is hij er niet?'

Rafik haalde zijn schouders op. 'Zo goed ben ik nou ook weer niet met hem,' zei hij. 'Ik weet het niet.'

'Ik moet weten waar mijn vader is,' zei ik zonder omwegen. 'En ik denk dat Tazim dat weet.'

Zijn aandacht verdubbelde, minstens, en hij pakte me bij mijn arm. 'Waar ben je mee bezig, man?' zei hij. 'Wat weet jij daarvan?'

'Heb je even?' vroeg ik.

'We moeten naar de les,' zei hij. 'Maar we praten om halfdrie. Bij de voetbalkooi.'

Ik liet hem passeren en wachtte even omdat ik bedacht dat hij het misschien niet cool zou vinden dat ik samen met hem het lokaal binnenkwam.

Ik had het gevoel dat mijn beslissing om met hem te praten de juiste was. Wat hij me zou vertellen wist ik niet maar het zou me verder helpen, dat hoopte ik heel erg.

Ik ging als laatste de klas in, zocht mijn plek achterin en legde mijn boek op tafel. Niemand keek naar me om.

Ik moest een tijd wachten, na het zesde uur. Niet iedereen ging naar huis. Er waren er altijd die nog een tijd bleven rondhangen en ik wilde geen pottenkijkers die Rafik moeilijkheden konden bezorgen. Voor mezelf maakte het niet uit: ik had al problemen genoeg. Ik zag Rafik pas tevoorschijn komen toen het plein leeg was. Hij keek om zich heen en liep toen naar de voetbalkooi, naar de hoek die vanuit de lokalen niet zichtbaar was. Daar ging hij op zijn smartphone staan kijken. Ik wachtte nog heel even en ging toen naar hem toe.

Hij liet er geen gras over groeien. 'Wat is er tussen jou en Tazim?' vroeg hij.

'Hij woont vlak bij jou, zei je. Ken je zijn vrienden ook?'

'Zijn vrienden?' Hij keek me behoedzaam aan. 'Welke bedoel je?'

'Die van onder de Noordsebrug.'

'Jezus,' zei hij. 'Ben je gek geworden? Wat moet je met ze?'

Ik haalde diep adem. 'Moet je horen,' zei ik. 'Ik heb iets ontzettend stoms gedaan.'

En ik vertelde hem wat er was gebeurd. Dat ik had gezien hoe Ref van de straat was geraapt, dat ik had gezien wie met stenen gooien was begonnen. Ik vertelde van mijn vergeefse bezoek aan het ziekenhuis.

'Ik was het even helemaal kwijt van kwaadheid,' zei ik. 'En toen ben ik 's avonds naar Tazim gegaan, naar zijn vrienden, onder de Noordsebrug.'

Hij keek me verbijsterd aan. 'Ben je debiel geworden, of zo?' zei hij. 'Onder de brug?' Hij wist wie daar waren, dat merkte ik, en hij maakte de indruk dat hij daar zelf nooit heen zou gaan. 'Met die gasten wil je niks te maken hebben. Jij bent echt gek, jongen.'

Maar ik was nog niet klaar. Ik vertelde van de informatie die ik daar gegeven had en toen twijfelde hij pas echt aan mijn verstand.

'Dus je hebt je vader verraden?' zei hij. 'Zoiets doe je niet, je weet toch. Je eigen vader, man.'

'Ik wilde alleen maar dat ze aan het schrikken werden gemaakt.'

'O, en toen?' vroeg hij spottend.

'Walid zei dat ze dat zouden doen.'

'Walid?' Ik zag dat hij schrok bij het horen van die naam. Toen keek hij me hoofdschuddend aan. 'Je dacht zeker dat je in de Efteling was,' zei hij. 'Dit is fokking echt.'

Ik wilde aan hem vragen of hij er niet voor kon zorgen dat ik tenminste met Tazim kon praten maar er kwam iemand naar buiten. Het was Van Grol. Hij was klaar voor vandaag. Hij liep naar zijn fiets die in een speciaal gedeelte voor leraren stond en deed zijn tas achterop. Pas toen hij vlak bij het gangetje naar de straat was zag hij ons. Natuurlijk zag hij in één oogopslag wie daar bij de voetbalkooi stonden en hij hield automatisch een moment zijn pas in. Alsof hij probeerde te begrijpen waarom de zoon van een ontvoerde PNB-leider met een Marokkaan stond te praten. Toen liep hij zonder iets te zeggen door.

Rafik en ik keken hem zwijgend na en toen hij uit zicht was zei ik: 'Ik vind Van Grol net zo'n klootzak als jij, als iedereen. Geloof me maar.'

'Maar jullie zaten samen bij de Singel.'

'Ja,' zei ik somber. 'Dat heeft Nourdin rondverteld natuurlijk. Nou, hij kwam naar míj toe, ik niet naar hem. En ik ben zo gauw mogelijk weggegaan. Ik wil niks met hem te maken hebben.'

Hij keek me aan en ik zag zowaar dat de hardheid uit zijn blik verdween. Hij leek me te geloven. Eerst Jesper en nu hij. Misschien moest ik de hele klas te spreken krijgen. Om te beginnen. De onverschillige houding die ik mezelf aangewend had begon barstjes te vertonen.

'En Tazim?' vroeg ik.

Hij schudde zijn hoofd. 'Ik bemoei me daar niet mee,' zei hij. 'Ik ben niet gek. Die groep is gevaarlijk. Je moet daar niet meer heen, Michiel.' Hij noemde me bij mijn voornaam, het klonk vertrouwd. 'Die staan daar niet te wachten op een kaaskop als jij.'

Misschien niet, maar dat zou me niet tegenhouden. Als Rafik me niet kon helpen zou ik het zelf moeten doen.

Ik ging naar huis. Aan de overkant van de straat, bij de pizzaboer, stond de fietsagent. Ik deed of ik hem niet zag toen ik naar het Janskerkhof fietste maar ik wist dat hij achter me aan kwam.

24

De Opel Astra stond nog voor ons huis, met twee mannen in burger erin. Ze keken recht voor zich uit toen ik langs hun auto kwam en deden hun best om er verveeld uit te zien. Ik ging achterom.

Toen ik in de gang stond hoorde ik niets en toen ik de kamer in kwam was alleen mijn moeder daar. Ik hoefde niets te vragen want ik zag aan haar gezicht dat er nog geen goed nieuws was.

'Hallo,' mompelde ik en ik liet me zakken in de stoel bij het raam, de stoel waar mijn vader meestal zat. Ik kon de auto zien staan. De mannen dronken uit plastic bekertjes. Het bleef stil maar toen ik naar mijn moeder keek zag ik een vraag in haar ogen. Ze keek naar me op de manier van iemand die iets bestudeert.

'Wat is er?' vroeg ik.

Ze zei dat er niets was maar de vraag bleef in de kamer hangen.

'Nog niks gehoord?' vroeg ik toen maar.

Ze schudde haar hoofd. 'Niemand weet iets,' zei ze. 'De beveiliging wordt verminderd, trouwens. Ze denken dat je toch veilig over straat kunt, dat de acties niet op ons gericht zijn.'

'Hoe weten ze dat?' vroeg ik.

'Dat zeggen ze er niet bij.'

'Nou, oké,' zei ik. 'Dat was echt overdreven vanmorgen. Ze kunnen beter gaan zoeken.'

'Ja.' Meer zei ze niet.

'Waar is Saartje?'

'Boven.'

Het gesprek stokte en ik voelde me plotseling ongemakkelijk. Alsof iemand bij me naar binnen wilde.

'Ik snap het niet,' zei ik, ook om dat gevoel te omzeilen. 'Heeft niemand iets gezien van die gijzeling?'

'Er zijn een paar getuigen,' zei ze. 'Maar de overvallers hadden maskers... bivakmutsen.'

'En de beveiligers?'

Ze schudde haar hoofd en het werd weer stil. In de straat gebeurde ook niets.

'Er zijn hier mensen van de pers geweest,' zei ze. 'Fotografen en er was een tv-camera. Maar die zijn weggestuurd.'

Ik stond op en keek naar de tuinen aan de overkant. Het zou me niets verbazen als daar fotografen zich verdekt hadden opgesteld. Maar behalve de mannen in de Opel was er niemand te zien.

'Waar was jij gisteravond, Michiel?' vroeg mijn moeder opeens. 'Waar kwam je vandaan?'

Ik bleef naar buiten kijken om niet te laten merken dat ik schrok. Het was de vraag die ik niet wilde horen hoewel ik wist dat hij op de loer lag. Ik hoorde weer de knal van de steen die door de ruit vloog. Ik dacht aan de vrouw die gewond was. Toen draaide ik me om. 'Hoe dat zo?' vroeg ik zo verbaasd mogelijk maar niet té verbaasd.

'Ik moet er de hele tijd aan denken dat jij vertelde dat jij had gezien wie die steen had gegooid op het Domplein. En dat ik zag hoe kwaad je was.'

'En?'

'Ik vroeg waar je was. Je hebt nog geen antwoord gegeven.'

'Dat heb ik gisteren al verteld,' zei ik. 'Ik was aan het nadenken.'

'Waar?' Ze gaf niet op.

'Weet ik veel. Ergens hier in de buurt.' Ik deed of ik er even over moest nadenken. 'O ja, bij de snackbar, daar heb ik nog een kroket uit de muur getrokken.'

'Heeft iemand je daar gezien?'

'Hé, ben je bij de politie of zo?' zei ik kwaad. 'Wat zit je nou te zeuren?'

Ze keek me alleen maar aan en zei niets.

'Maak je liever druk over pa,' zei ik.

Dat deed haar pijn, ik zag het. Er trok een schaduw over haar gezicht en haar ogen werden vochtig. Ik haatte mezelf om de manier waarop ik met haar praatte maar het was de enige manier om uit de vuurlinie te blijven. Ik wist wat ze dacht en dat maakte me ongerust.

'Waar wil je nou heen?' vroeg ik.

'Dat weet je best. Die steen door de ruit, was jij dat?'

Daar was de vraag waar ik bang voor was, maar ik had me al voorgenomen wat ik zou doen als hij gesteld werd. 'Hoe kom je dáár nou bij!' zei ik. 'Echt niet.' Keihard ontkennen, wat moest ik anders?

'Lieg niet tegen me, Michiel.' Het waren strenge woorden maar ze klonk verdrietig. 'Waar ben je nou toch mee bezig, jongen.'

'Ik ga naar boven,' zei ik. 'Hier heb ik geen zin in.' Ik ging de kamer uit met storm in mijn hoofd en achtervolgd door haar verwijtende blik.

Ze wist het.

Ze wist het en eerlijk gezegd had ik er geen idee van wat ze met die wetenschap zou doen: mijn naam doorgeven of mijn geheim bij zich houden. Ik moest me ernstig zorgen maken. Volhouden, dat was het enige wat me te doen stond maar ik had er een rotgevoel bij. Als niemand erover begon kon ik doen of het niet was gebeurd en hoefde ik het er niet over te hebben. Maar nu moest ik liegen en blijven liegen. Ik loog weleens vaker maar dit voelde verkeerd.

Toen ik op de overloop was keek ik bij Saartje om het hoekje van de deur en vroeg: 'Gaat-ie?'

'Ja,' zei ze, zonder op te kijken. Ze zat te tekenen.

'Ben je met oom agent naar school geweest?'

'Ja, dat was stom. Ik ben geen baby meer.'

'Komt goed,' zei ik, voordat ik haar deur weer sloot.

Komt goed, twee woorden zonder inhoud. Ik ging op de rand van mijn bed zitten en keek de kamer rond, naar de vertrouwde dingen op mijn bureau, aan de muur. Maar die boden geen zekerheid. Ik was de vis en het net kwam dichterbij.

Nog amper twee maanden geleden was door de verhuizing naar Utrecht in mijn leven van alles veranderd maar ik had de dingen onder controle gehad. Die controle was ik nu totaal kwijt. Daar had ik zelf voor gezorgd maar ik hield me krampachtig vast aan één gedachte: Ref. Ik had het voor hém gedaan, zei ik tegen mezelf.

'Híj was het slachtoffer. Niet die stenengooier, niet Zilvermunt en niet mijn vader.'

'Wel je vader, Michiel. Wat heeft hij gedaan? Met stenen gegooid? Hij doet alleen wat hij denkt dat goed is. Het is zijn schuld niet.'

'Jawel, het is wel zijn schuld. Ze hadden niet moeten demonstreren op het Domplein, dan was er niets gebeurd.'

Ik schudde mijn hoofd. Dat sloeg natuurlijk nergens op maar

ik was wanhopig op zoek naar de juiste woorden om goed te praten wat ik had gedaan. Nou, die vond ik even niet.

Die vond ik de rest van de hele dag niet en ik stopte met proberen. Toen ik geroepen werd ging ik naar beneden om te eten. Ik weet niet meer wat ik op mijn bord schepte en ik proefde er niets van. Het was alleen maar naar binnen schuiven geblazen. Na het eten hielp ik Saartje met het vullen van de vaatwasmachine. Ze vertelde over school. Dat de juf extra lief voor haar was omdat haar vader was ontvoerd. Heel anders dan bij mij. Bij mij was niemand zelfs ook maar gewoon lief. Ik zei dat dat fijn voor haar was, aaide haar even over haar hoofd en ging weer naar mijn kamer omdat ik niet met mijn moeder wilde praten over de vorige avond. Omdat ik niet aan haar wilde zien wat ze dacht.

De avond ging traag voorbij, met hiphop op mijn iPod, en mijn gedachten tolden rond totdat er maar één gedachte overbleef: ik moest weer naar de Noordsebrug, naar Tazim en Walid.

Iemand in de hoek van mijn gedachten riep naar me dat dat behoorlijk stom was en vragen om grote problemen. Ik was het helemaal met hem eens en toch kon ik geen betere uitweg bedenken. Ik had ze de tip gegeven en ze hadden die gebruikt. Nu was het wel mooi geweest. Ik stelde me voor dat ik dat tegen Walid zou zeggen en dat hij zou toegeven. 'Sorry man,' zou hij zeggen. 'Het is een beetje uit de hand gelopen. Ik ga zorgen dat het goed komt.'

Hou een ander voor de gek, zei ik toen tegen mezelf.

25

Woensdag 15 april

Ik ben een guerrillastrijder. Ik val aan vanuit het donker. Niemand verwacht het en dan sla ik toe. Ik speel in een film. Als ik straks mijn schuilplaats verlaat ben ik automatisch een gevaar voor mijn vijand.
'Wie is de vijand, Michiel?' Iemand zegt het hardop en ik merk dat ik het zelf ben.
Ik ga over mijn nek, zo stink ik.
Ik ben zelf de vijand. Wil ik dat? Wil ik geen vrienden?
Het donker is mijn vriend.

Zonder het van plan te zijn geweest was ik in slaap gevallen en het was donker toen ik wakker werd. Alles voelde wazig en warrig en ik raapte mijn gedachten bij elkaar. Ik kon hier blijven liggen en wachten tot alles opgelost was en de wereld weer veilig en onschuldig. Dat was de fijnste gedachte die in me opkwam. De fijnste en de onmogelijkste. Ik wist dat dat niet zou gebeuren.

En dus kwam ik overeind en klom uit mijn raam omdat ik niet wilde dat mijn moeder merkte dat ik weg was. Via de boom die in de tuin stond klauterde ik omlaag, zoals ik weleens - je wist maar nooit - had uitgeprobeerd. De auto voor het huis was de enige beveiliging die was overgebleven, dus ik hoefde niet bang te zijn dat er zomaar een breedgeschouderde agent achter het huis stond om me met zijn zaklamp in mijn ogen te schijnen, net als de vorige keer.

Ik liet mijn fiets in de schuur staan - zo ver was het niet naar de Noordsebrug - en liep door het paadje achter de huizen langs, een paadje dat doorliep tot de eerste zijstraat links. Ik liep met mijn handen in mijn zakken en de capuchon van mijn hoodie over mijn hoofd straat in, straat uit, telde mijn voetstappen van de ene lantaarnpaal naar de volgende en zette de waarschuwingen in mijn hoofd - stom, ga terug, ga terug - op non-actief. Dat deed ik omdat ik wist dat ik, als ik terug zou gaan, het niet nog een keer zou proberen.

Ik zag het gezicht van mijn vader voor me. Ik balde mijn vuisten. Het interesseerde me geen fluit meer wat hij vond van de maatschappij, van moslims, van Europa, van bootvluchtelingen of wat dan ook. Ik wilde mijn vader hebben, thuis, samen met ons.

Ik versnelde mijn pas.

Waar de politie aan het zoeken was wist ik niet. Het zou kunnen dat ze opeens voor mijn neus stonden om te vragen waarom ik in godsnaam in mijn eentje in het donker over straat liep. Dat mijn moeder tegen ze had gezegd dat ik wraak had willen nemen voor de steen die Ref had geraakt. Dat ze zouden vragen of ik soms een ander adres in mijn hoofd had om toe te slaan. In dat geval zou ik een voortvluchtige zijn, zij het een voortvluchtige met een doel. Maar de mensen die ik tegenkwam fietsten voorbij of lieten hun hond uit. Niemand bemoeide zich met me.

En toen stond ik voor de tweede keer stil bij de Noordsebrug terwijl ik naar de schaduwen eronder keek. Het was de laatste mogelijkheid om terug te gaan maar ik klemde mijn kiezen op elkaar en liep naar de brug toe.

Er was niemand die me van achteren beetpakte en ze zagen me pas toen ik vlakbij was.

'Hé, jij! Doe die kap eens af!' riep iemand.

Ik deed het niet. 'Is Walid hier?' vroeg ik.

'Kap af, tjolli!'

Er kwamen er twee vlak voor me staan en ik deed toch maar mijn capuchon omlaag. Ik voelde me opeens onbeschermd en ik spande mijn spieren.

'Kaaskop, het is die kaaskop weer,' zei de jongen die ik de vorige keer bij zijn scooter had zien staan. Ze kwamen allemaal behoedzaam dichterbij, inclusief Tazim. De dreiging was voelbaar.

'Hey, Tazim,' zei ik.

'Walid is er niet,' zei hij. 'Wat moet je van hem?'

'Hij heeft zich niet aan de afspraak gehouden,' zei ik.

'Afspraak?'

'Afspraak, ja. Hij zou ze alleen maar laten schrikken, meer niet.'

De jongen van de scooter kwam zo dichtbij dat onze neuzen elkaar bijna raakten. 'Waar heb je het over, gast?' zei hij. Zijn adem stonk naar sigarettenrook.

'Ja,' zei Tazim. 'Waar heb jij het eigenlijk over, Bosroode?'

Ik keek naar hun gezichten en werd kwaad. 'Wat zijn dat voor spelletjes?' zei ik. 'Denken jullie dat ik gestoord ben of zo?'

Maar ze voerden het toneelstuk 'Wij weten van niks' op en keken elkaar verbaasd aan.

'Afspraak? Weet jij van een afspraak?'

'Ik? Echt niet.'

'Ik zou niet weten waar hij het over heeft.'

'Ik ook niet. Je vergist je, tjolli.' Dat laatste tegen mij.

Ik keek ze een voor een aan, Tazim het laatst en het langst. Het was duidelijk: ze zouden ontkennen dat ze er iets mee te maken hadden. Ik zou voor leugenaar en fantast uitgemaakt worden. - 'Hij is gek, die Sjakie.' -

Toen zag ik Tazim met zijn hoofd een minuscule beweging maken om aan te geven dat ik beter weg kon gaan. Het leek op een waarschuwing.

'Dus Walid is er niet?' vroeg ik toch nog.

'Walid?' zei de jongen van de scooter verbaasd. 'Kennen wij een Walid?' Ze schudden hun hoofd en ik wist dat ik klaar was met de Noordsebrug. Ik haalde mijn schouders op en liep weg. Achter me bleef het stil.

De spanning was uit mijn lichaam verdwenen toen ik terugging naar huis. Ik was niks opgeschoten en ze hadden me gewoon voor gek laten staan. Ik was opeens moe, alsof de stekker eruit getrokken was en de energietoevoer afgesloten. Alleen de blik van Tazim hield mijn gedachten nog bezig. Misschien had ik meer succes als ik hem zou spreken zonder die anderen erbij. Niet onder de brug, dus. Daar zagen ze mij niet meer.

Op de terugweg naar huis begon ik steeds harder te lopen bij de gedachte wat er thuis allemaal gebeurd kon zijn. Stel dat mijn moeder naar mijn kamer was gekomen om nog een keer te praten en had ontdekt dat ik weg was. Uit het raam geklommen en weg, dat leek er niet direct op dat ik op mijn gemak een ommetje aan het maken was. Nog meer vragen.

Maar dat was tenminste iets waar ik me geen zorgen over had hoeven maken. De gordijnen waren dicht en ongezien klom ik weer naar mijn openstaande raam. Alles bleef rustig.

Ik ging de trap af en de kamer in. Ze zat op de bank. De televisie stond aan maar ze keek er niet echt naar.

'Nog niks gehoord?' vroeg ik terwijl ik bedacht dat ik mijn handen misschien even had moeten wassen. Ik stopte ze in mijn broekzakken.

'Nee,' zei ze. 'En dat is nog het ergste, de onzekerheid. Ik word er gek van.'

Ik had dat allemaal niet bedacht van tevoren. Dat niet alleen de top van de PNB het doelwit was maar dat mijn moeder ook geraakt zou worden. Mijn schuldgevoel groeide en ik dacht aan hoe makkelijk het zou zijn om voor de dag te komen met mijn verhaal. Dan zou de politie gericht in actie kunnen komen en was er geen onzekerheid meer.

Ja, vertellen zou makkelijk zijn. Toch, als ik bedacht wat de gevolgen daarvan zouden kunnen zijn schrok ik terug. De schaduwen onder de Noordsebrug waren een te grote bedreiging.

'Ga je nog niet naar bed?' vroeg ik, hoewel het nog geen tien uur was.

'Je denkt toch niet dat ik kan slapen?' zei ze. Haar ogen waren rood van vermoeidheid. En van het huilen misschien. Al had ze dat nog niet gedaan, niet waar ik bij was.

'Als je vader terug is moeten we echt samen praten, Michiel,' zei ze. 'Met zijn drieën, bedoel ik. Zo kan het niet verder.'

Ik liet een halfslachtig knikje zien en zei dat ik naar bed ging.

'We moeten bij elkaar blijven,' hoorde ik haar nog zeggen voor ik de deur achter me sloot.

26

Ik fietste in mijn eentje naar school en ik betrapte me erop dat ik bij de hoek van de straat waar Ref woonde onwillekeurig naar rechts keek of hij eraan kwam. Ik zag de lege straat en miste hem plotseling zo dat de tranen in mijn ogen prikten. Helemaal niet de stoere, genadeloze Michiel Bosroode.

Ik moest nog een keer naar hem toe, naar het ziekenhuis, nam ik me voor. Misschien letten ze daar even niet op en kon ik bij hem komen. Ik wilde tegen hem zeggen dat ik spijt had van alles wat ik had gezegd en dat ik vrienden met hem wilde blijven. Dat er zonder hem niets aan was.

Ik wist niet eens of hij nog in coma lag.

Ik kwam aan bij school, toevallig op hetzelfde moment als Kaja. Daar had ik geen rekening mee gehouden en ik aarzelde. Ze keek me heel even aan maar zei niets, waarna ze voor me uit ging, naar het plein.

'Hoe is het met Ref?' vroeg ik toen ik achter haar aan door het gangetje liep en het zweet brak me uit bij de gedachte dat ze zou zeggen dat het niet meer goed kwam.

'Nog steeds hetzelfde,' zei ze zonder om te kijken.

Ik kreeg geen kans om nog meer te zeggen of te vragen want op dat moment kwamen Samiha en Bouchra naar haar toe. Dat werd een meidengesprek. Ik was lucht.

In de pauze zat ik in een hoek van de aula aan een tafeltje voor mij alleen. Er was nog steeds niemand die iets met me te maken wilde hebben. Jesper had even 'hoi' tegen me gezegd

en daar bleef het bij. Ik wist niet of hij geloofde wat ik had gezegd over Van Grol en mij. Ook Rafik bleef uit mijn buurt. Ik
zat te bedenken hoe ik een gesprek met Tazim aan zou pakken, áls ik hem al te pakken zou krijgen. Ik kon me de moeite
besparen want hij kwam zelf naar me toe, alleen. Ik stond op
en spande mijn spieren tot hij een gebaar maakte dat ik weer
moest gaan zitten. Wapenstilstand.

Hij ging tegenover me zitten en zei: 'Je moet je bek houden.'
Ik keek hem aan na deze duidelijke mededeling en zei toen:
'Volgens mij zei ik niks.'

'Niet zo bijdehand doen, jij. Walid zegt dat je je bek moet houden.'

'O, dus die ken je wel? En ben jij zijn loopjongen?'

Niet zo slim misschien om zo tegen hem te doen. Hij kwam
overeind en leunde met zijn vuisten op het tafeltje. Ik moest
hem niet al te kwaad maken, want ik had nog een vraag.

'Rustig maar,' zei ik. 'Waar is mijn vader?'

'Dat ga ik niet tegen jou zeggen.' Hij schudde zijn hoofd. 'Zo
stom ben ik niet.'

Ik bedwong de neiging om te zeggen dat dat nog maar de
vraag was. Hij irriteerde me.

'Maar je weet het wel?' vroeg ik.

Hij ging weer zitten. Hij wist het niet, ik zag het aan de aarzeling in zijn blik. Hij was maar een onbelangrijk lid van de
groep en hij was er niet bij geweest. Ik moest er bijna om lachen.

'Walid waarschuwt je. Hij is bang dat je gaat praten met de
popo.'

'Daar hoeft Walid niet bang voor te zijn.' Dat waren wel de
laatsten met wie ik wilde praten.

'Hij zegt dat iemand die zijn vader verraadt hemzelf net zo makkelijk ook zal verraden.'

Die kwam hard aan. Het gaf me een vies gevoel. Ik was niet meer iemand die iets met de PNB te maken had: ik was een verrader, een verachtelijk soort mens.

Hij stond op. 'We zijn altijd in de buurt,' zei hij. 'Jij bent nergens meer veilig, check dat.' Hij wierp me nog een laatste vuile blik toe en liep weg. Ik keek hem na terwijl het geluid van de laatste woorden die hij zei bleef hangen.

Nergens meer veilig.

Die middag scheen de zon en de stad zag er net zo uit als anders. Ik kon me niet voorstellen dat dat zou veranderen door bedreigingen door Walid, alleen of met zijn groep. In zo'n wereld leefde ik toch niet? De gedachte leek opeens zo absurd dat ik nadrukkelijk mijn hoofd schudde toen ik op een druk kruispunt voor een stoplicht stond te wachten. Ik moest me niet als de eerste de beste loser laten opnaaien.

Maar toen ik even later verder fietste, regelmatig zoekend om me heen kijkend, dacht ik aan Ref, aan stenen die op het Domplein door de lucht vlogen, aan een steen door de ruit en de ontvoering van mijn vader.

Ik moest mezelf niet voor de gek houden: in zo'n wereld leefde ik wél.

En wat nu? Naar huis gaan was geen optie. Als Walid naar me op zoek was zou hij uitzoeken waar ik woonde en mijn straat in de gaten houden. Waarheen dan wel? Kolére, wat een puinhoop. Ik moest mezelf dwingen om niet in paniek te raken.

Op het Janskerkhof stonden nogal wat mensen bij de bushalte. Mensen met een doel.

Zelf had ik ook een doel op dat moment. Ik had besloten om nog een keer naar het UMC te gaan. De laatste dagen had ik zoveel dingen fout aangepakt dat het tijd werd voor iets beters. Ik moest Ref zien, iets tegen hem zeggen. Ik had weleens gehoord - of gezien, in een film, ik wist het niet meer - dat iemand die in coma lag je toch kon horen al kon hij niets terugzeggen. Ik wilde me niet nog een keer laten wegsturen.

Geen Walid te zien en geen verdachte bewegingen van zijn Marokkaanse vrienden. Misschien had Tazim me alleen maar bang willen maken om er zo voor te zorgen dat ik mijn mond zou houden. Misschien waren het alleen maar woorden. Aan de andere kant wist ik inmiddels wat ze onder 'bang maken' konden verstaan. Ik moest hen niet onderschatten.

Toen ik bij het ziekenhuis mijn fiets in de klem zette dacht ik even - vreemd - iemand mijn naam te horen zeggen. Ik keek om me heen maar niemand lette op me. Er waren natuurlijk mensen, ziekenhuismensen, bezoekmensen, verpleegmensen. Ik was er een van. Ik ging op in de beschermende massa. Ik ging de trap af en liet de massa achter me. In de lege gangen kwam ik niemand tegen. Maar toen ik mijn doel bijna had bereikt kwam uit een kamer rechts Refs moeder de gang in. Ze keek me aan en ik zag aan haar dat er nog geen verbetering was. Ik bleef staan.

'Zo, was je er weer?' zei ze. Haar stem klonk niet kwaad of zelfs afwijzend maar zoekend.

'Hoe is het met Ref?' vroeg ik. 'Mag ik hem zien?'

Ze deed een stap opzij om een verpleegkundige langs te laten, keek me weer aan en zei toen, tot mijn verrassing: 'Ja, dat is goed.' Ze ging me voor naar een deur aan het eind van de gang. 'Ref wordt kunstmatig in coma gehouden omdat hij zich nog niet mag bewegen,' zei ze.

'Hoe lang duurt dat nog?' Ik schraapte mijn keel.

'Dat weten ze nog niet.' Ze ging de deur door en ik volgde. Ik kwam een ruimte in met links een balie waarachter een paar mensen in het wit. Tegenover hen, afgescheiden door witte gordijnen, vijf bedden. Het eerste bed was leeg en in het volgende bed lag Ref. Om hem heen stond apparatuur waaraan hij met slangetjes en snoertjes was verbonden maar daar keek ik niet naar. Ik zag alleen maar het witte gezicht op het witte hoofdkussen. Ogen dicht en een slang in zijn mondhoek.

'Pak die stoel maar,' zei Refs moeder. 'Je kunt wel tegen hem praten. Hij hoort je.' Ze draaide zich om en ging naar een man in een witte jas, pennen in zijn borstzakje en een map in zijn handen. Een dokter. Ik hoorde hun stemmen achter me terwijl ik me naar voren boog, naar het bed toe.

'Ref,' zei ik zacht. 'Ik ben het, Michiel.'

Wat moest ik tegen hem zeggen? Onderweg naar het ziekenhuis had ik van alles zitten bedenken maar nu ik naast het bed zat wist ik het niet meer. Ik zei nog een keer zijn naam en keek naar een schermpje waarop zijn hartslag te zien was. Die was regelmatig. Ik keek naar het bed en zag heel lichtjes zijn borst rijzen en dalen. Hij leefde nog. Hij had alweer bij bewustzijn kunnen zijn als ze hem niet kunstmatig in coma hielden. Ik kreeg weer hoop.

'Ref, hoor je me?' zei ik. 'Het spijt me, Ref, dat ik zo lomp tegen je was. Ik was kwaad.' Geen haar op mijn hoofd die eraan dacht om tegen hem over dat spandoek te beginnen. Dat ik kwaad was geweest dat hij het in de aula had opgehangen. Helemaal niet belangrijk, stelde niets voor. Ik wachtte een tijdje en keek, en keek maar. Zag ik zijn wimpers even bewegen, of wilde ik dat alleen maar zien?

'Het spijt me, echt.'

Het witte gezicht op het witte kussen tussen de witte gordijnen.

'Als je weer wakker bent moet je vragen of ze geen gele kus-
sens hebben,' zei ik.

27

Toen ik naar buiten liep, het zonlicht in, voelde ik me een stuk beter dan toen ik naar binnen ging. Het zou goed komen met Ref, zei ik tegen mezelf. Hij lag nog wel in coma maar dat was alleen omdat dat nu even beter voor hem was. Als het tijd was zouden ze hem bij laten komen. Over hoe het daarna met hem zou gaan dacht ik nog niet na. Ik was alleen maar vol van nieuwe hoop.

Daardoor kwam het dat ik totaal verrast werd door wat er toen gebeurde. Ik stond over mijn fiets gebogen om hem van het slot te halen toen ik achter me een stem hoorde.

'Daar heb je hem,' zei iemand. 'Kom op.'

Ik keek om. Er kwamen twee mannen met snelle passen naar me toe, allebei met een fotocamera om hun nek. Stomverbaasd wachtte ik op wat ze wilden doen. Dat werd dus al snel duidelijk: ze maakten foto's van me, de ene na de andere.

'Hé, jongen,' riep de ene man. 'Jonge Bosroode, dat ben jij toch? Heb je je vader nog gesproken? Ligt hij in het ziekenhuis?'

Het kwam zo onverwacht, en het sloeg zo nergens op dat ik er te laat aan dacht op mijn fiets te springen en te maken dat ik wegkwam. Dit was belachelijk. Waren ze van een krant of zoiets? Een boulevardblad? Ja, dat moest haast wel. Het waren paparazzi, jagers, maar hoe wisten ze wie ik was? Ik had er geen idee van. Ze bleven hinderlijk, foto's makend, om me heen draaien. Ze gooiden hun vragen naar me toe.

'Weten jullie al waar ze zijn?'

'Vragen ze losgeld?'

'Is je vader in gevaar?'

Ik stapte op mijn fiets. 'Sodemieter op!' riep ik kwaad. 'Ik weet niks!' Ik stuurde om hen heen maar een van hen, de brutaalste, sprong voor mijn voorwiel. Ik kon hem niet ontwijken, ik viel half over mijn stuur en we vielen samen op de tegels.

Ik verloor alle controle over mezelf en er trok, bijna letterlijk, een waas voor mijn ogen, ik kan het niet anders omschrijven. Ik duwde mijn fiets van me af en krabbelde overeind. Naast me kwam de fotograaf ook half overeind. Ik schopte naar hem, raakte hem, zodat hij weer viel. En die andere gast maar foto's maken.

'Klootzakken!' schreeuwde ik. 'Laat me met rust!'

Bij de hoofdingang van het ziekenhuis waren mensen blijven staan. Ze keken toe en deden niets, tot er een paar witjassen naar buiten kwamen rennen.

'Hé, hé, rustig aan!' riep een van hen. 'Hou daar eens mee op!' Maar ik was mijn zelfbeheersing helemaal kwijt. 'Ik trap die camera kapot!' schreeuwde ik. 'Blijf uit mijn buurt!'

Mijn razernij overdonderde hen. Ze deden een paar stappen terug en bleven op een afstand terwijl hun camera's bleven klikken. Ik stormde als een wild geworden hond op hen af. Net voor ik bij hen was werd ik tegengehouden door een brede in het wit geklede man.

'Rustig, vriendje,' zei hij in mijn oor.

'Ik ben je vriendje niet!' schreeuwde ik. 'Laat me verdomme los!'

Maar dat deed hij niet. Ik ben een potige jongen en ik worstelde hevig tegen maar hij was sterker en hij kon me in bedwang houden.

Eindelijk kwamen er meer mensen bij. Enkelen keerden zich tegen de fotografen en hielden ze op een afstand.

'Ik doe alleen maar mijn werk,' protesteerde de man die ik aangereden had.

'Ja, dat werk van jou kennen we,' zei iemand. 'Daar zou ik niet zo trots op zijn. Je moet die jongen met rust laten.'

'Zijn we kalm nou?' zei de witte reus die me nog steeds vasthield. 'Kan ik je veilig loslaten?'

Het duurde even. Toen kwam ik tot bedaren en ik knikte ten slotte. Er stonden een paar mensen tussen mij en de fotografen in. Er werden geen foto's meer gemaakt. Ik draaide me om en liep naar mijn fiets.

'Gaat het weer?' vroeg die witte nog.

Ik gaf geen antwoord, raapte mijn fiets op en reed zonder nog een keer om te kijken weg. Ik was er bijna zeker van dat ze achter me aan zouden komen met hun auto dus ik sloeg zo snel mogelijk rechtsaf, toen weer links, een woonwijk in en zo verder tot ik er zo goed als zeker van was dat ze me kwijtgeraakt waren.

Ik stapte af bij een klein parkje met wat speeltoestellen en ging hijgend op een van de banken zitten. Tegenover me zaten twee vrouwen met hoofddoekjes. Ze letten niet op mij maar op hun kinderen die op het glijbaantje aan het spelen waren. Ik kwam weer op adem.

Stelletje ratten.

Ik was een doelwit geworden en ik werd aan alle kanten ingesloten, zo zag ik het. Van de ene kant door mijn moeder die me dicht op mijn nek zat over die steen door de ruit. Ik verwachtte eigenlijk niet dat ze het zou melden, al wist je het maar nooit. Als ze dat wel zou doen kreeg ik de politie achter me aan. En nu moest ik dus ook wegblijven bij hijgerige fotografen met hun sappige sensatieverhalen. Ze werkten natuurlijk bij van die weekbladen die ik weleens in de snackbar zag liggen. Maar het allergevaarlijkst waren Walid, Tazim en de rest van de schaduwengroep van onder de Noordsebrug.

Al die bedreigingen draaiden rondjes door mijn hoofd terwijl ik naar de spelende kinderen op het glijbaantje zat te kijken. En die bedreigingen werden afgewisseld door fantasieën over wat er met mijn vader gebeurd zou zijn. Zat hij ergens gevangen? Was het misschien veel erger dan dat? Ik hoorde Kaja zeggen dat dat hier ook kon gebeuren, zo'n aanslag, net als in België. Ik zuchtte.

Kaja.

En kon ik eigenlijk nog wel naar school? Dat was de volgende vraag. Tazim zou me op school niets aandoen maar hij zou Walid kunnen waarschuwen zodat die me zou opwachten. Ik was nergens meer veilig en de weg naar Rafik was afgesloten, net als die naar Kaja en Jesper.

Ik pakte mijn fiets en reed door straten waar ik nog nooit was geweest, als een vreemdeling in een ander land. Bij elke hoek keek ik links, rechts en achter me. Geen achtervolgers tot nu toe.

Ik zocht bij elk kruispunt naar herkenningspunten. De wijk waar ik op een gegeven moment was leek geen uitgang te hebben. Allemaal straten met vrij dure huizen met voor- en achtertuin. Bakfietsen voor de deur aan deze kant van de stad.

Tot ik ten slotte bij een snelwegviaduct kwam en toen wist ik het weer. Hier was ik ook geweest op weg naar het ziekenhuis. Ik ging linksaf en zag even later het voetbalstadion aan mijn linkerhand. Daar stopte ik omdat ik het niet meer wist.

Had ik een plek om heen te gaan? Was thuis nog thuis? En stel dat ze op een dag mijn vader zouden vrijlaten, wat moest ik dan doen? Doen alsof ik nergens van wist? Michiel de onschuldige? Maar stel dat Walid - met bivakmuts, ik zag het voor me - hem had verteld dat zijn eigen lieve zoontje had verteld waar de vergadering zou zijn?

Hij kon dat over mij vertellen maar ik kon ook over hem vertellen, zeggen wie hij was. Dat was het gevaarlijkst. Ik begreep heel goed waarom hij bij me in de buurt wilde blijven. Hij wilde me onder druk houden. Het gewicht op mijn borst en mijn keel werd groter bij de gedachte aan wat hij uiteindelijk kon doen om me stil te houden.

Kaja weer: het kan hier ook gebeuren.

Je speelt met je leven, Michiel. Die gedachtenflits was zo scherp dat het leek of het met grote letters op de muur van het huis naast me stond gekalkt.

De hele tijd op dezelfde plaats stil blijven staan hielp ook niet en ik was er ook te onrustig voor. Ik reed verder naar het centrum, richting school. Dat was in elk geval bekend terrein, al bestond het gevaar dat ik daar zou worden opgewacht. Wat was dat, een veilige plek?

In gedachten verzonken reed ik de Zonstraat door, tot aan de stoplichten aan het eind, tot aan de Singel, dicht bij de Argentastraat waar ik nog maar zo kortgeleden een steen door de ruit had gegooid had. Hadden ze me toen echt niet gezien? Hoe zou het met die vrouw gaan? Dat spookte door mijn hoofd toen ik overstak.

Toen ik overstak zonder dat ik in de gaten had dat het verkeerslicht op rood stond.

28

Ik hoorde het angstaanjagende geluid van een schreeuwende claxon en van gierende autobanden op het asfalt. Vanuit mijn linkerooghoek zag ik in een flits een grijze auto op me afkomen. Overduidelijk zag ik heel even het geschrokken gezicht van de bestuurder. Toen sloot ik mijn ogen en wachtte op de klap. Die kwam niet. Op het laatste moment zwiepte de auto naar links en schoot voor me langs. Er stond een hekje langs de straat, een laag hekje dat nauwelijks iets kon tegenhouden. De auto stuiterde eroverheen en landde met een klap in het water van de Singel. Ik stopte en keek toe, alsof er een film voor me werd afgedraaid. Ongelovig staarde ik naar de auto die nog even horizontaal op het water bleef drijven. Maar al snel dook de neus omlaag en verdween. Ik weet niet meer hoe lang het duurde tot ook de achterkant niet meer te zien was. Ik herinner me niet dat ik me ook maar een millimeter bewoog. Ik herinner me alleen dat de hele wereld stilstond, behalve in het water voor mijn voeten. Het was een Peugeot. Nog steeds zie ik, als het beeld weer in me opkomt, het zonlicht in het glimmende merkje achterop weerkaatsen voor het wegzonk.

Er gebeurde heel even niets, behalve dat ik grote luchtbellen naar boven zag komen die uit elkaar barstten toen ze de oppervlakte bereikten. Toen hoorde ik achter me iemand schreeuwen. Op datzelfde moment zag ik aan de overkant van de Singel twee vrouwen, hardloopsters, het talud af komen rennen en in het water springen. Een paar crawlslagen en toen doken ze.

Zelf deed ik iets onvergeeflijks: ik ging op de trappers staan en sprintte weg van de ongeluksplek.

'Hé!' riep iemand achter me. 'Stoppen, jij!'

Ik stopte niet. In blinde paniek reed ik zo snel als ik kon door, ging rechtsaf de brug over en toen de Nieuwegracht op. Lafbek, zei ik tegen mezelf. Je laat iemand doodgaan door jóúw schuld, ziet anderen in het water springen en jij vlucht. Laffe hond die je bent.

Ik luisterde er niet naar, ik keek naar niemand, en raasde verder. Bij een smalle zijstraat remde ik om af te slaan. Bij de volgende zijstraat, nog smaller, ging ik naar links en toen brak ik. Ik stopte en over mijn stuur gebogen, mijn voeten links en rechts van mijn fiets op de straatstenen, liet ik de verschrikking pas echt tot me doordringen. Ik beefde zo dat het leek of het nooit meer ophield, er trokken huiveringen over mijn rug en ik begon geluidloos te huilen.

Het was een nachtmerrie in vol daglicht. Ik schudde heftig mijn hoofd en wilde aan andere dingen denken. Minder erge dingen: school, fotografen, Tazim, Kaja. Het lukte me niet. Ik zag alleen maar water met grote luchtbellen.

Handen tegen de binnenkant van de voorruit.

Water dat naar binnen stroomt.

Licht dat minder wordt.

Wat ik hoorde was: dood door schuld.

Er kwam een vrouw met een hond langs. Ze hield haar pas in en vroeg of het wel goed met me ging. Ik veegde met een mouw langs mijn ogen en zei dat ik me niet zo lekker voelde.

'Het komt wel goed,' zei ik.

'Echt?'

'Ja, echt. Maar dank u wel.' Ik reed door.

Bizar, iemand laat een auto het water inrijden, laat iemand verdrinken en dan zijn er toch mensen die vragen of het wel gaat.

Een eind verder stopte ik weer. Ik woonde in Noord en daar wilde ik niet heen. Terug ook niet. Verder waren alle mogelijkheden oké behalve richting school. Er bleef steeds minder water voor de vis over en aan alle kanten hingen netten.

Ik moest verder, en dat deed ik ook. Ik had niet genoeg energie om waakzaam rond te kijken en ik verloor alle besef van tijd. Na een poos verbeeldde ik me dat ik in een soort schemer terecht was gekomen tot ik merkte dat het echt donker begon te worden.

Mijn moeder zou gek worden als ik wegbleef. Ik stuurde haar een berichtje dat ze zich geen zorgen hoefde te maken. Daarna zette ik mijn mobiel uit omdat ik weleens had gezien dat ze je locatie konden vinden als je hem aan had staan. Misschien was dat alleen in tv-series zo maar ik dacht toch van niet. Ik veranderde van richting en fietste in het donker door onbekende straten tot ik bij een zwarte plek kwam. Ik zag een hek staan om een paar blokken met flats heen. De ramen van de woningen waren allemaal zwart en kaal. Het buurtje was rijp voor de sloop maar het was nog niet helemaal zo ver. Ik zag geen kranen met sloopkogels of ander materieel. De lantaarnpalen langs de straat waren allemaal uit.

Er is geen licht nodig in niemandsland.

Daar stond ik, met één hand aan het stuur van mijn fiets, en ik staarde naar de levenloze gebouwen om me heen. Het was een verlaten, dode plek maar het toeval had me hierheen gebracht en nu moest ik er gebruik van maken.

Halverwege het straatje lag een hoop takken, resten van struiken. Ik liep erheen, trok takken over mijn fiets en camoufleerde hem zo goed mogelijk. Ik deed dat allemaal werktuiglijk zodat het leek of ik met een ander leven bezig was. Er hing mist over mijn verstand en mijn gevoel, ook toen ik naar de hekken liep die om het woonblok stonden. Ze waren met dunne bandjes van kunststof aan elkaar vastgemaakt. Ik liep het hek langs tot ik een plek vond waar die bandjes gebroken waren. Stuk getrokken misschien. Met moeite trok ik een van de hekken een paar decimeter opzij tot ik er net door kon. Mijn tas bleef haken en die moest ik van mijn rug halen. Daarna lukte het. Op straat bleef het donker en stil.

De deuren van de flats waren op slot, wat ik raar vond. Dat was volgens mij niet meer nodig. Maar misschien waren ze bang voor krakers.

Ik zocht verder en toen vond ik een raam dat ingegooid was. Mijn ogen waren aan het donker gewend en ik zag gevaarlijke scherpe punten glas. Ik vond een stuk hout en duwde voorzichtig het glas naar binnen. Bij elk stuk glas dat viel kromp ik iets in elkaar omdat het nogal lawaai maakte. Maar er kwam niemand aan om te vragen wat ik daar 'in godsnaam' aan het doen was. Toen ik al het glas uit het raamkozijn had verwijderd klom ik naar binnen. Die kraker was ik zelf, bedacht ik. Ik ging op de tast de kamer door waarin ik terecht was gekomen. Het glas knarste onder mijn voeten en nu en dan schopte ik tegen iets waarvan ik liever niet wilde weten wat het was. De ruimte was leeg. Toen ik een deur doorging kwam ik in een andere kamer die misschien was gebruikt als slaapkamer want in de hoek lag een matras. Hij rook behoorlijk ranzig maar op dat moment interesseerde dat me niet. Ik deed de deur van de kamer dicht en liet me op de matras zakken. Mijn rugtas gooide ik in een hoek. Toen ik eenmaal lag merkte ik hoe uitgeput ik was.

Het stonk en ik dacht maar niet na over mogelijk ongedierte. En wat ik moest doen als ik weer verder wilde, naar wat voor onbekende plek dan ook, daar wilde ik ook niet over nadenken. Hier was het donker en stil. Hier was ik een stuk veiliger dan op straat.

Ik had een plek gevonden.

Ik sliep in.

29

Die nacht ben ik een paar keer bijna verdronken. Pas toen het water me de baas dreigde te worden schrok ik op, snakkend naar adem, starend in het donker en nat van het zweet. Ik was doodsbang en probeerde me uit alle macht wakker te voelen. Ik voelde de matras onder mijn rug en mijn handen. 'Je bent hier,' zei ik hardop tegen mezelf. 'Er is geen water, voel maar.' En dan liet ik de nachtmerrie achter me.

Maar de verschrikkelijke werkelijkheid was veel erger dan wat voor nachtmerrie dan ook. Die werkelijkheid was géén bedrog. Ik raakte opnieuw in paniek door de gedachte dat mijn leven voorgoed kapot was, niet meer te repareren. Ik was bang om weer in slaap te vallen. Bang voor nachtmerries en nog banger voor het moment dat ik wakker werd in iets veel ergers.

Maar ik was zo moe dat ik niet wakker kon blijven.

Uiteindelijk werd ik gewekt door vogels en omdat ik het koud had. Ik had op een kale matras geslapen zonder iets over me heen. Ik sloeg mijn armen om mijn bovenlichaam en staarde naar het achterlijkste behang dat ik ooit had gezien: donkergroen met grote witte vlinders. Ik keek naar het raam en zag dat er links en rechts nog steeds vale versleten gordijnen hingen. Het plafond boven me was gebarsten en besmeurd. Ook daar lag ik een hele tijd naar te kijken alsof daar een tekst zou verschijnen met dingen die ik moest doen om uit de problemen te komen.

Het gebeurde niet. Oplossingen moest ik zelf bedenken. Ik moest heftig naar de wc dus ik ging op zoek in wat tenslotte eens een bewoond huis was geweest. Aan het einde van een gangetje, achter een deur, was een klein hok met een gat in de vloer. Dat moest de wc zijn geweest. Wat eronder dat gat zat wilde ik niet weten maar ik gebruikte het. Bij gebrek aan wc-papier had ik een paar bladzijden uit mijn boek van Engels gescheurd. In feite veegde ik mijn kont af met de Engelse lessen van Van Grol, dat gaf wel weer een beetje grimmige voldoening. Het volgende probleem: ik had honger. Binnen iets te eten vinden kon ik vergeten: ik moest eropuit. Toen ik gisteren hierheen reed had ik niet op winkels gelet en ik hoopte dat ik niet te ver hoefde te zoeken. Ik liep huiverend door wat ik dan maar de voorkamer noemde naar het lege raam. Ik zag nu wat er op de grond lag: glas en afval, hout, plastic en oud papier. Resten van bewoning maar niets waar ik wat aan had.

Ik keek naar buiten. Het is vandaag, dacht ik. Kijk naar wat er is, aan de overkant, ook al ziet het er niet uit. Kijk naar wat voor weer het is, kijk naar de wolken boven je. Let op dingen waar je anders nooit op let, maakt niet uit. Als je maar niet aan gisteren denkt. Geen borrelend wateroppervlak.

Buiten was er geen beweging. Hoe laat het was wist ik niet, want zolang ik in deze schuilplaats zat wilde ik mijn smartphone niet gebruiken. Ik keek naar de takkenhoop aan de overkant. Als je het niet wist zag je, in elk geval van een afstandje, niet dat daar een fiets onder lag. Lekker laten liggen, dacht ik. Die fiets kwam wel weer als ik hier vandaan ging, vrijwillig of gedwongen. Ik klom uit het raam en haalde mijn vinger open aan een restje glas dat in het kozijn was blijven zitten. Fok!

Met mijn capuchon op, mijn hoofd gebogen en mijn vinger in mijn mond liep ik de straat uit. Om me heen waren alleen maar holle woningen met lege ramen en toch voelde ik me bekeken.

Ik stelde mezelf gerust en zei tegen mezelf dat hier niemand was. Drie straten verder hoefde ik me pas zorgen te maken.

Drie straten verder, op een hoek, was een snackbar. Eindelijk zat het eens een keer mee, al was hij dan gesloten omdat het nog vroeg was. Omdat er nauwelijks mensen op straat waren waagde ik het om een eindje door te lopen. Er was een winkel voor tweedehands spullen met daarnaast een computerwinkel, maar een supermarkt of een bakkerswinkel zag ik niet. Ik durfde niet verder te lopen. Buiten mijn schuilplaats was er alleen maar gevaar. Ik draaide me om en ging terug.

Toen gebeurde er een klein wonder. Er fietste me een vrouw voorbij met boodschappen in haar overvolle fietstassen. Er was dus toch een supermarkt in de buurt. Ze reed voor me uit over een nogal steile verkeersdrempel en er viel iets uit haar tas. Ik keek om me heen. Niemand lette op mij of de vrouw met haar fietstassen. Ze was een half brood verloren, bruinbrood met allemaal zaadjes erop, en verpakt in plastic. Ik raapte het op en stopte het onder mijn jack. Brood, vers brood!

Terug in de verlaten wijk liep ik eerst de straat op en neer. De ramen keken naar me en weer dacht ik dat ik niet alleen was. Pas toen ik de zekerheid had dat ik niemand zag ging ik terug naar de flat tegenover mijn fiets. Ik wurmde me weer door het hek en klom naar binnen. Daar, op die stinkende matras, werkte ik het lekkerste brood dat ik in tijden had gegeten naar binnen. Daarna voelde ik me een stuk beter.

De rest van de dag zat ik binnen zonder iets te ondernemen. Behalve dan dat ik een achtergelaten keukenkastje van de muur trok om iets te hebben waar ik op kon zitten. De gordijnen had ik dichtgedaan. Voorzichtig, want ze hingen erbij of ze elk moment uit elkaar konden vallen. Er kwam een hele stofwolk vanaf. En ik begon met het maken van een verslag, een dagboek. Daar gebruikte ik lege bladzijden van mijn schoolagenda voor. In de eerste plaats moest ik toch íéts te doen hebben, en op die manier hield ik de dingen een beetje bij. Ik schreef alleen maar dingen op die niets met de Singel te maken hadden.

Het nadeel van zo'n lege dag was dat ik voortdurend aan het nadenken was. En dan niet nadenken over een oplossing maar piekeren, me van alles in mijn hoofd halen. Tot de conclusie komen dat er geen uitweg was. Bedenken dat ik een zielig slachtoffer was. Maar aan dat laatste twijfelde ik dan weer als ik het beeld voor me zag van de Peugeot die onder water verdween, het zilverkleurige merk als laatste. Dan maaide ik met mijn armen om me heen. Weg daarmee!

En verder moest ik wachten. Wachten tot het donker was en ik weer veilig uit mijn hol kon komen met het lokkende beeld van de snackbar voor ogen. Soms dommelde ik in en één keer moet ik met een schreeuw wakker zijn geworden omdat het geluid daarvan nog om me heen hing toen ik overeind schoot. Weer had ik van water gedroomd. Iemand werd meegesleurd tot hij in een put verdween. Ik wachtte en wachtte terwijl ik wist dat hij niet meer tevoorschijn zou komen. Klam van het zweet lag ik op de matras.

Hoeveel mensen waren er in de stad, dacht ik? Hoeveel van hen fietsten elke dag van hier naar daar en weer terug. Er overkwam hen niets en waarom zou het ook? Maar waarom mij dan wel? Waarom was ik niet die ene seconde eerder of later bij die verkeerslichten geweest? Wat is nou helemaal één seconde?

Waarom? vragen is meestal zinloos.

Muziek luisteren als tijdverdrijf was er ook niet bij. Mijn smartphone zou ik alleen in uiterste noodgevallen gebruiken. Ik pakte mijn agenda.

Uren later stond ik op van mijn ligplaats. Ik moest het erop wagen, het was nu donker genoeg. Ik voelde net als altijd automatisch of ik mijn portemonnee bij me had en klom uit het raam. In het donkere buurtje voelde ik me safe maar zo gauw ik het licht van de eerste straatlantaarn binnen liep wilde ik het liefst wegrennen naar de dichtstbijzijnde schaduw. Dit schoot niet op, zei ik streng tegen mezelf. Ik moest me beheersen en het niet erger maken dan het was. Als er geen foto's van mij waren verschenen in de krant of op de televisie zou niemand weten wie ik was, kom op, Michiel, doe normaal! Maar ik voelde me absoluut geen guerrillastrijder toen ik bij de snackbar naar binnen ging, de tl-verlichting in.

Ik bleef achterin staan wachten tot ik aan de beurt was. Een vrouw had een bestelling waar geen eind aan kwam en ze voerde intussen ook nog een oeverloos gesprek met de Chinees achter de toonbank. Dat probeerde ze tenminste. De Chinees sprak nauwelijks Nederlands behalve dan natuurlijk de namen van zijn snacks en geldbedragen. Hij lachte breed naar haar, knikte, herhaalde wat ze zei. Het duurde eindeloos. Ze hadden alleen maar aandacht voor elkaar en letten niet op mij. Maar ik stond daar wel in het volle licht, zichtbaar voor iedereen die buiten voorbijkwam.

Fok, waarom zou er géén foto van mij op televisie zijn geweest, dacht ik opeens. 'De politie vraagt uw aandacht voor het volgende.' In een extra politiebericht. En natuurlijk in de krant: *Zoon van PNB-topman Bosroode ook vermist*, ik zag de koppen voor me, met foto's die ze bij het ziekenhuis van me hadden gemaakt. Fók! Weg, ik moest hier weg! Maar het holle gevoel in mijn maag zorgde dat ik niet het donker in vluchtte. Ik verbeet met moeite mijn ongeduld en toen ik eindelijk aan de beurt was stapte ik naar voren. Wat de Chinees betreft was ik een gewone klant en hij keek me vriendelijk en vragend aan. Ik bestelde een patat oorlog, een smulrol, een mexicano en een blikje cola. Terwijl de man bezig was bekeek ik belangstellend het scherm van de speelautomaat, met mijn rug naar het raam. Ik keek om de haverklap naar de klok aan de muur. De secondewijzer tikte eindeloos langzaam de tijd weg tot ik betaald had en met mijn snacks in een plastic tasje de straat weer op ging, terug naar huis.

Terug naar huis?

Het was onveranderd stil in het sloopbuurtje en ik kroop door het raam naar binnen, het donker, de veiligheid en de stank in. Toen ik in de slaapkamer terug was at ik alles zo langzaam mogelijk op. Omdat ik er lang van wilde genieten, maar ook om zoveel mogelijk tijd te doden.

Het was maar goed dat er gordijnen voor het raam hingen want buiten was het onbewolkt en zo goed als volle maan. Het flatblok achter was net zo leeg als het mijne, maar ik hield ze voor de zekerheid toch maar dicht.

Toen hoorde ik plotseling een geluid. Niet het stadsgeluid in de verte maar vlakbij. Het geluid van iemand die buiten rondliep. Ik hoorde een doffe bonk alsof er iets omviel. Daar waren ze, daar waren ze, verdomme!

Ik ging in een hoek van de kamer met mijn rug tegen de muur zitten. Hoorde ik daar iemand weglopen? Ik trok het gordijn naast me een miniem stukje opzij en keek naar buiten. Ik zag de rotzooi daar in het maanlicht, zo duidelijk alsof het dag was. Schaduwen en lichtplekken, maar ik zag niets bewegen. Doodstil bleef ik wachten, kauwend op het laatste stukje van mijn mexicano. Het bleef stil. Als er al iemand was geweest was die nu in elk geval weg. Wie? Tazim of Walid, of een van hun vrienden? Iemand van de politie? Een nieuwsjager?

Ik kroop naar een streepje maanlicht dat door een kiertje tussen de gordijnen op de matras viel. Ik pakte mijn agenda en begon te schrijven. Ik moet die agenda bewaren, dacht ik. Dan kan ik later een boek schrijven over wat ik allemaal meegemaakt heb. Idioot idee. Ik las bijna nooit een boek, alleen als het moest, en dan schrijver worden?

Woensdag 15 april 's avonds

Ik hoor geluiden. Vannacht is het bijna volle maan. Hij schijnt dwars door de dunne wolken heen. Doodstil om me heen. Ben zo alleen als maar kan.

Maar net hoorde ik iemand. Dat weet ik zeker al zag ik niets, zelfs niet in het maanlicht. Er scharrelt hier iemand in het donker. Er viel iets om. Met één grote stap ben ik terug in de schaduw. Blijf een tijd doodstil staan, tot ik iemand hoor weglopen.

Toeval? Is er iemand naar me op zoek?

Gast, iederéén is naar je op zoek.

30

'Hallo, daar!' Iemand riep. Een vrouw.

Ik lag te soezen op de matras en ik lag te bedenken dat ik nooit had geweten dat een dag zo lang kon duren. En ook dat ik dit niet lang vol zou kunnen houden. Ik zon op actie - zonder overigens iets specifieks te kunnen bedenken - want alleen maar in een stinkhok zitten schoot ook niet op. Dan kon ik net zo goed in de cel zitten op het politiebureau. En nu was daar opeens iemand.

'Ja, kom maar tevoorschijn, hoor. Ik weet dat je er bent en ik ben onschadelijk.'

Een onschadelijke vrouw. Een valstrik?

'Wie ben je?' vroeg ik.

'Goeie vraag,' zei de stem. Meer niet.

'Ga weg,' zei ik.

'Niet zo onvriendelijk,' was het antwoord.

Ik kwam overeind en aarzelde. Ik voerde een gesprek, dat was al een tijdje niet gebeurd. Het voelde eigenlijk wel prima en, zei ik tegen mezelf, wat kon er gebeuren? Ja, er kon een heleboel gebeuren - zei ik ook tegen mezelf - maar dit klonk niet gevaarlijk.

Ik hakte de knoop door en keek om de hoek van de slaapkamer. Er stond inderdaad een vrouw buiten. Ze was gekleed in... ja, dat kon ik zo gauw niet thuisbrengen. Een allegaartje van kleren en omslagdoeken bekroond met een strooien hoed. Ze bleef staan en keek nieuwsgierig naar binnen.

'Ben je doof?' zei ik. 'Rot op.'

Ze keek me nadenkend aan. 'Ben jij nou zo'n harde?' zei ze. 'Of wil je dat alleen maar?'

Op die vraag gaf ik natuurlijk geen antwoord. Dat had ik ook helemaal niet. Was ik dat? Wilde ik dat? Zoiets vraag je niet als je iemand niet kent.

'Helpt het als ik zeg dat ik weet wie je bent?' vroeg ze toen.

Als ik een klap tegen mijn kop had gekregen was ik niet zo uit mijn evenwicht geweest als ik nu was.

'Bullshit,' zei ik agressief, mijn armen breed als bij een gorilla om zo mijn schrik te verbergen. Wat niet lukte, trouwens.

Ze was niet stuk te krijgen. 'Ik heb je al een paar keer langs zien komen,' zei ze. Als je je wilt verstoppen mag je wel wat voorzichtiger zijn. Ik zag meteen dat er iets met je was. En sinds vandaag weet ik wat dat is.'

'Wat bedoel je?' vroeg ik achterdochtig.

'Jij bent Michiel Bosroode,' zei ze, en ze grinnikte. 'Je bent een bekende Nederlander geworden. Bekend van kranten en tv. Opsporing verzocht.'

Ik stond haar sprakeloos aan te staren. Het allerergste wat kon gebeuren was gebeurd. 'Shit, man,' zei ik verslagen. Geen gorillaspelletje meer.

'Mag ik nou binnenkomen?' zei ze. 'Ik denk dat je me nodig hebt.'

Van dat laatste kon ik me niet zo gauw een voorstelling maken. Maar ik was zo van mijn stuk gebracht dat ik achteruit stapte en haar de gelegenheid gaf om door het raam naar binnen te klimmen, wat ze verrassend makkelijk deed. Ze keek afkeurend om zich heen. 'Dit is nog erger dan bij mij,' zei ze. 'Wat een goor hol.'

Ik wist niet hoe het er bij haar uitzag maar ze had gelijk: het was een goor hol. Zo, ik was diep gezonken, zeg. Ik zag het door haar ogen en het drong nu pas echt tot me door.

De vrouw keek me vriendelijk aan.

Ik ging haar voor naar de slaapkamer waar de matras zo uitbundig lag te geuren dat ze automatisch even haar adem inhield.

'Mag ik daar zitten?' vroeg ze terwijl ze naar het keukenkastje wees. 'Op die luxe stoel? Ik heet Mina, trouwens.'

'Dus iedereen weet wie ik ben,' zei ik toen ze zat.

'Ze zeggen dat je ontvoerd bent, net als je vader. Maar ik zie nu dat dat niet zo is.'

'En iedereen weet hoe ik eruitzie. Nou zit ik echt in de shit.' Ik keek haar somber aan.

'Volgens mij zat je dat al,' zei ze.

Ze had gelijk. Ik had wel kunnen denken dat alles - nou ja, bijna alles - opgelost zou worden zolang ik me maar goed verborgen hield maar het was alleen maar erger geworden.

'Eet je wel genoeg?' vroeg Mina, nadat ze me van top tot teen had bekeken.

Dat was zo'n idiote vraag dat ik bijna in de lach schoot. 'Je lijkt mijn moeder wel,' zei ik.

'Nou, daar ben ik in elk geval oud genoeg voor.' Ze keek me van onder haar strooien hoed grijnzend aan. 'Als je geld bij je hebt kun je mij je boodschappen laten doen. Dan kun jij binnen blijven.'

'Ik mag van mijn moeder geen geld aan vreemde vrouwen geven,' zei ik.

'Je bent je humor nog niet kwijt,' zei ze. 'Dat scheelt. Maar het is nu niet slim om naar de supermarkt te gaan. Ze herkennen je. Dus dat kan ik beter doen.'

'Waarom zou je dat voor mij doen?' vroeg ik. 'Je kent me helemaal niet. Heb je zelf geen geld?'

'Nu even niet. Vanavond, als ik klaar ben met mijn werk.'

Nu begon ik echt te lachen. 'Je werk?' zei ik. 'Waar werk je? Bij de bank? De belastingen?'

'Veel leuker,' zei ze. 'Beledig me niet. Ik verkoop de Straatkrant, bij de supermarkt.'

Ik zag weleens straatkrantverkopers en ik vond dat er altijd zielig uitzien. Ze staan de hele dag op hun plek en ik had nog nooit gezien dat iemand zo'n krantje kocht.

'Dat levert toch niks op,' zei ik.

'Jawel, hoor. Als je maar geduld hebt.' Ze stond op. 'Dus, jij geeft mij geld en dan koop ik eten voor je. Laat de buurvrouw maar voor je zorgen.'

'Buurvrouw?'

'Ik zit hiernaast. Had je dat nog niet gemerkt?'

'Nee.'

'Je moet wel een beetje opletten als je een geheime verblijfplaats zoekt, jongeman.'

Ik had nergens op gelet. Ik was alleen maar met mezelf bezig en ook nog eens bekaf. Maar ze had gelijk. Ik had geluk gehad dat nog niemand me had opgemerkt.

'Heb je iets te lezen?' vroeg ze.

Natuurlijk had ik niets te lezen, behalve mijn schoolboeken dan, al of niet compleet. Het kwam niet eens in me op om te gaan lezen. Ik schudde mijn hoofd.

'Ik haal wel wat voor je,' zei ze. Ze klom even kwiek naar buiten als toen ze naar binnen was gekomen en toen ze terugkwam had ze tijdschriften bij zich: *Panorama*, *Story*, *Privé*, dat soort bladen. Ik dacht direct terug aan de fotografen bij het ziekenhuis. Het zou kunnen dat mijn foto in zo'n blad zou komen te staan. Dat ik die ene man verrot stond te schelden.

Zoon van PNB-topman gaat tekeer.

Ze ging naar haar werk en ik bleef achter met mijn stapeltje toplectuur.

31

Donderdag 16 april, 's ochtends

Ze zegt dat ze Mina heet. Haar achternaam zegt ze niet. Nooit ge-
dacht dat ik met zo iemand zou omgaan. Ze ruikt niet erg fris maar
dat doe ik ook niet. Overdag verkoopt ze de Straatkrant. 's Avonds
en 's nachts is ze mijn buurvrouw.
Heb nu in elk geval gezelschap.

Ik zal niet in details treden maar ik kwam de dag door. Ik had
bedacht dat mijn smartphone misschien wel kon worden uit-
gepeild, ook als hij uitstond, maar dan alleen naar de dichtstbijzijnde zendmast. Ik wist niet waar die stond, hopelijk een
eindje verderop. Ik zette hem nu en dan aan om te zien hoe
laat het was al dwong ik mezelf om dat niet te vaak te doen.
De tijd ging zo langzaam dat het leek of de dag volgelopen was
met kwark.
Niet ver bij me vandaan hoorde ik machines en, niet zo fijn,
het krakende geluid van omvallende muren, instortende gebouwen. Ik keek naar buiten, voor en achter, half en half ver-
wachtend dat ze begonnen waren met de sloop. Maar aan
beide kanten was het stil. Ik kon niet horen of de geluiden
dichterbij kwamen, maar een nieuwe vijand was opgedoken
en het leger was in de buurt.
Na een eindeloze dag - ik had nog nooit zo naar iemands
komst uitgezien als naar die van Mina - verscheen ze weer bij
mijn raam. Ze had een plastic tas met boodschappen bij zich,

en dat werd tijd. Ik kreukelde van de honger.

'Ik heb nieuws,' zei ze, terwijl ik een krentenbol aanviel. 'Je vader is gevonden.'

Ik stopte abrupt met kauwen en keek haar met volle mond aan. *Je vader is gevonden*, dat klonk als iets heel verschrikkelijks. Precies op dat moment schoof er een wolk voor de zon, als een dreigend gebaar. Ik stak mijn hand op en slikte een veel te groot stuk krentenbol door en ik kreeg het bijna niet weg. Ik probeerde te slikken en al die tijd dacht ik: ik krijg iets te horen wat nooit meer goed komt. Hij is dood, ze hebben hem vermoord. En al diezelfde tijd wachtte Mina tot ik mijn hand liet zakken en haar weer aankeek.

'Hij was aan een boom gebonden,' zei ze.

'Aan een boom? Hoe...?'

'Ja, aan een boom, niet eens zo heel ver hier vandaan. De vrouw van zijn partij en nog twee mannen ook.'

'Jezus, Mina! Leeft hij nog?'

'O ja, sorry. Ze leven allemaal nog. Het enige wat is beschadigd is hun ego, denk ik. Er hing een papier met Arabische lettertekens aan de boom.'

Ik had helemaal niet meer stilgestaan bij de PNB, bij wat die partij wilde. Ik wilde alleen dat het goed zou komen met mijn vader, bang als ik was dat hij het niet zou overleven. Door mijn schuld. Maar hij leefde nog. De opluchting golfde door me heen.

'Dank je wel, Mina,' zei ik. 'Dat is fantastisch nieuws.'

'Niks te danken,' zei ze. 'Wil je trouwens weten wat die tekst in het Nederlands betekent?'

'Nee... ja. Wat dan?'

Ze haalde even diep adem. 'Ik weet het niet letterlijk. Zo goed is mijn Arabisch niet, maar de vertaling was op het nieuws. Het is zoiets als: wij gaan een verre reis maken en we hebben onze honden aan een boom gebonden. Hoe vind je die?'

Het was een grove belediging maar dat interesseerde me niet. We gaan een verre reis maken? Waarheen? Niet gewoon op vakantie, leek me. Naar Syrië, of Irak? Dat zou een van mijn problemen oplossen. Eén vijand waar ik niet meer bang voor hoefde te zijn. Helleloejah, de lucht begon behoorlijk op te klaren.

Of hield ik mezelf nou voor de gek?

Ik keek naar Mina die op het keukenkastje een broodje zat te eten. Ze was, heel anders dan ik, volkomen op haar gemak. Dat kwam natuurlijk omdat ze misschien al heel lang dit leven leidde. Ze was eraan gewend. Zo zag het eruit. Wat ze allemaal had meegemaakt waardoor ze in dat leven terecht was gekomen wist ik niet.

'Heb je die hoed altijd op?' vroeg ik.

'Behalve als ik slaap.'

'Heb je stom haar of zo?'

Ze keek me bestraffend aan. 'Zo ga je niet met vrouwen om,' zei ze. 'Maar dat moet je natuurlijk nog leren.' Toen zette ze haar hoed af, haalde links en rechts een haarspeld weg en schudde haar haar los. Niet dat het glanzend en golvend over haar schouders viel - het was dof, grijzend en al een tijdje niet gewassen - maar ze zag er meteen jonger uit.

'Nou?'

'Prachtig.' Ik grijnsde.

'Je vraagt niet aan een dame hoe oud ze is,' zei ze.

'Deed ik dat dan?'

'Ik waarschuw alleen maar.'

Zo kabbelde ons gesprekje rustig voort tot ze opeens vroeg: 'Nou, vertel het eens. Wat is er allemaal met jou gebeurd?' Ze stak me een banaan toe.

Dat laatste haalde bij mij de rem eraf, zonder dat ik dat goed kan uitleggen. Iemand die me iets gaf. Ik vertelde het hele verhaal en ze luisterde geduldig, met zo nu en dan een korte opmerking.

'Lastig, hoor,' bijvoorbeeld.

'Dat kan ik snappen.'

'Vechtersbaasje, hè, Michiel?'

'Door de ruit? Toe maar.'

'Ja, maar wel je vader, hè?'

Ik liet dingen weg, natuurlijk. Ik vertelde niet over Kaja, daar had niemand iets mee te maken. En eigenlijk wilde ik ook niets over de Peugeot in de Singel zeggen. Dat was zo erg dat ik dreigde te stikken, alleen al als ik eraan dacht. En toch begon ik erover alsof ik wist dat het moest. De woorden golfden uit mijn mond alsof ik zelf bezig was te verdrinken en de beelden stonden me zo haarscherp voor ogen dat ik eerst niet merkte dat Mina haar hand opstak. Ik ging maar door en door tot en met het moment dat de auto onder water verdween. En toen huilde ik.

'Stop,' zei Mina.

Ik zei niets meer en dreef rond in mijn eigen Singel van ellende en schuldgevoel. Tot ze een reddingsboei naar me toe gooide.

'Dat was twee dagen geleden?' zei ze.

Ik knikte.

'Die man hebben ze eruit gehaald en naar het ziekenhuis gebracht, heb ik gehoord. Hij mocht na behandeling naar huis.'

Niet meer en niet minder. Een korte, duidelijke mededeling die alles veranderde.

Ik keek haar door mijn tranen aan. 'Naar huis?' fluisterde ik. 'Hoe is het met hem?'

'Alles onder controle, denk ik.'

Ik wist niets meer te zeggen, de woorden waren op. Ik zat met gebogen hoofd op de matras. Er vielen tranen op mijn handen.

'Dus,' zei ze. 'Zijn je problemen opgelost?'

Ik tilde mijn hoofd op en probeerde alles op een rijtje te krijgen. Mijn vader was thuis. Niet vrolijk natuurlijk maar heelhuids. Walid was wel echt weg, de Jihad achterna. Misschien ook niet. Misschien wilde hij iedereen op een dwaalspoor brengen. Maar in dat geval was ik net zo gevaarlijk voor hem als hij voor mij. De bestuurder van de auto had het overleefd. Nee, nog niet alles was opgelost. Ref was nog in het ziekenhuis, de man met de ingegooide ruit was er nog. Ik moest met mijn vader praten en dat zou geen gemakkelijk gesprek worden. Maar de belangrijkste bedreigingen leken verdwenen te zijn. Ik kon me weer bewegen. Ik was vrij.

'Ik moet nog een hoop dingen doen,' zei ik terwijl ik haar aankeek. 'Maar ik kan hier weg. Ik kan weer naar huis.'

'Je zult wel moeten,' zei ze. 'Ze gaan in hoog tempo dit wijkje slopen. We moeten er allemaal uit.'

'Allemaal?' vroeg ik.

'Ik heb al teveel gezegd.' Ze weerde mijn vraag af.

'Waar moet jij dan naartoe?' vroeg ik.

'Ik vind wel weer iets.' Ze zuchtte even, stak haar haar weer op en pakte haar hoed.

Ik had haar alles verteld en ik wist niets van haar. Hoe was zij in dit spookleven terechtgekomen? Maar ze zag de vraag in mijn ogen en zei dat ik haar verhaal helemaal niet wilde weten.

'Het leven is een rivier,' zei ze.

'Een rivier?'

'Wat ik zeg: een rivier, en de rivier is de baas. De stukjes hout drijven alleen maar met de stroom mee.'

Ik kreeg een treurig gevoel. Ik was altijd met een boog om zwervers heen gelopen. Zielig stelletje losers, laat ze werk gaan zoeken. Dat zei mijn vader ook weleens. Dat ze allemaal aan de drugs waren en zo. En nu kon ik niet verdragen dat Mina met haar hele handeltje weer op zoek moest, met de rivier mee, hoe beroerd het verblijf in deze bouwval ook was.

'Maak je geen zorgen, Michiel,' zei ze. 'Ik spoel wel weer ergens aan.'

'Maar heb je dan niemand?' vroeg ik. 'Geen familie, of...'

Ze liet me niet uitpraten. 'Nee,' zei ze kort en duidelijk. 'Ik heb ook niemand nodig.'

Ik wist niet meer wat ik moest zeggen en haalde hulpeloos mijn schouders op.

'Je hoeft geen medelijden met me te hebben,' zei ze. 'Je gaat naar huis, jongen.'

En dat deed ik. Ik stopte mijn agenda weer in mijn tas, mijn inmiddels halve leerboek Engels, en bleef onhandig tegenover haar staan.

'Ja, ga nou maar,' zei ze. 'Hier.' Ze stak me nog een banaan toe en ik kreeg weer een brok in mijn keel. Maar ik draaide me bruusk om en liep naar het raam. Ik klom naar buiten en liep naar de takkenhoop aan de overkant terwijl ik wist dat ze me nakeek. Mijn fiets lag er nog net zo. Toen ik hem tevoorschijn had gesleept keek ik nog even naar het raam. Ik zag haar niet meer. Ik fietste de inmiddels schemerige straat uit met het gevoel dat ik van verschillende kanten nagekeken werd.

Allemaal?

In de volgende straat stonden machines op rupsbanden met kranen en sloopkogels, als slapende reuzen die zeker waren van hun prooi. Nog een week en dit wijkje was voltooid verleden tijd.

Ik keek niet meer om.

32

Ik ging niet via de Singel. Al was het dan ook goed afgelopen - zei daar iemand: goed? - ik wilde die plek nog niet terugzien. Die beelden kreeg ik voorlopig niet uit mijn hoofd. Ik haastte me wel, met mijn capuchon toch maar over mijn hoofd. Ik was blij dat mijn vader terecht was al zag ik niet uit naar het gesprek dat ik met hem moest voeren. Er begon zich nog vaag een plan te vormen, en dat plan zou hij waarschijnlijk niet leuk vinden. Maar kijk, doen alsof er niets ergs was gebeurd en gewoon verder gaan met wat ik voor die tijd aan het doen was kon niet. Al zou ik het willen. Dat gesprek moest. Het zou er alleen vanaf hangen hoe hij zou reageren.

En ik moest bellen. Als ik thuis was moest ik bellen, gewoon, met de huistelefoon. Met Kaja, of Jesper, of Rafik. Ik moest dingen die nog scheef stonden recht zetten. Eerder kon ik niet naar school. Al zat naar school gaan er misschien niet direct in als ik mijn plan zou uitvoeren.

Ik werd meer en meer gespannen toen ik in de buurt van mijn huis kwam. Ik wist niet wat ik daar zou aantreffen. Nog steeds beveiliging? Niet bestaande mannen in een onzichtbare auto? Persfotografen?

Ik reed door tot in de zijstraat en zette mijn fiets vast aan een paaltje. Toen liep ik het paadje in, achter de huizen langs, het paadje dat ik ook had gebruikt toen ik op weg ging naar de Noordsebrug. Ik hoopte uit alle macht dat Walid echt weg was, naar Syrië of naar Irak, al leek hij me daar het type niet voor. Voor zover ik dat type kende dan. Misschien was hij te strak, te westers, ik wist het niet. Het maakte niet uit. Walid kwam in mijn plan niet voor, van mij zouden ze niets horen. Het was stil en donker achter de huizen dus ik kon ongestoord doorlopen naar huis. Daar was het ook stil. De keukendeur was op slot gedaan en de gordijnen waren dicht. Ik pakte mijn sleutel, wachtte nog heel even en stak hem toen in het slot. Een belangrijk moment, vond ik zelf.

Ik liep de keuken door, de gang, en luisterde aan de kamerdeur. De televisie stond aan met een of ander actualiteitenprogramma. Ik rechtte mijn rug, ademde diep in en uit en ging de kamer in.

Mijn vader en moeder zaten op de bank en ze keken opzij. Ze zagen een spook binnenkomen.

Mijn moeder was het eerst bij me. Ze pakte me vast om me nooit meer los te laten en het enige wat ze zei was: 'Michiel, Michiel, Michiel…' Ik keek over haar schouder naar mijn vader. Hij stond met iets aarzelends in zijn houding op zijn beurt te wachten. Geen vader en zoon gevoel.

'Waar was je nou?' vroeg hij.

Ik maakte me los van mijn moeder en ging naar hem toe. Hij pakte me bij mijn schouders en vroeg nog een keer: 'Waar was je nou, Michiel?'

'In een leegstaande flat,' zei ik. 'In een sloopwijk.'

'Maar waarom dan?' Hij begreep er niets van. 'Ben je ontvoerd?'

'Ontvoerd?' vroeg ik. 'Door wie?'

'Door die terroristen natuurlijk. Die ons ook hebben gegijzeld.'

'Nee,' zei ik. 'Ik ben daar helemaal uit vrije wil gaan zitten.'

Dat ik geen andere keuze had zei ik nog niet. Ik wachtte op

mijn vader van vroeger.

'Daar begrijp ik helemaal niets van.' Hij liet me los en ging zitten. 'We gingen ervanuit dat er een complot was tegen de PNB en dat jij ook een slachtoffer was.'

'Nee,' zei ik. 'Ik ben geen slachtoffer en er is geen complot tegen de PNB.'

Hij kreeg geen kans om te vragen hoe ik dat wist want mijn moeder kwam tussenbeide.

'Dat komt later wel,' zei ze. 'Je moet eerst douchen, Michiel. En schone kleren aan. Je stinkt of je door het riool hierheen bent gekomen.'

'Ja.' Ik knikte en keek haar glimlachend aan. Echt een moeder en zoon ding.

'Bel nog maar niet naar de politie,' zei ik. 'Ik moet nog een paar dingen doen.'

Ik ging naar boven, mijn ouders in opperste verwarring achterlatend.

Dat was een goed idee: eerst douchen. Ik spoelde de stank en het vuil van me af, waste drie keer mijn haar en genoot van het warme water. Ik dacht aan Mina en vroeg me af hoe zij dat deed: schoon blijven.

Toen ik schone kleren aan had ging ik eerst naar de kamer van Saartje. Ik opende voorzichtig haar deur. Ze sliep, helemaal opgekruld, haar haar over het kussen. Ik boog me over haar heen, schudde zacht haar schouder heen en weer en zei: 'Word eens wakker.'

Het duurde even, maar toen deed ze haar ogen een klein beetje open en keek me aan.

'Michiel?' zei ze slaperig.

'Ja, kleintje,' zei ik. 'Ik ben het.'

'Waarom was je weg?'

'Dat vertel ik nog wel een keer. Was je ongerust?'

'Ja.' Ze knikte en ik zag haar ogen vochtig worden.

'Dat hoeft niet meer. Ik ben terug, helemaal heel.'

Ze zuchtte tevreden en haar ogen vielen weer dicht. Ik keek nog even naar haar toen ik bij de deur stond. Ze had een klein lachje om haar mond.

Mijn kleine zusje.

Toen ik onder aan de trap was kwam mijn moeder net de gang in met een bord met boterhammen.

'Heb je wel genoeg gegeten?' vroeg ze.

Ik schoot in de lach. 'Je lijkt Mina wel,' zei ik.

Dat begreep ze natuurlijk niet en ik zei dat ik dat nog wel een keer zou uitleggen. In de kamer viel ik eerst gulzig het stapeltje boterhammen aan. Het smaakte voortreffelijk.

Mijn vader zat me met een ongeruste blik aan te kijken. 'Geen complot tegen de PNB?' vroeg hij. 'Wat weet jij wat ik niet weet?'

Ik at mijn mond leeg en keek hem aan terwijl ik met mijn tongpunt langs mijn tanden voelde. Mijn vader van vroeger was er nog steeds niet. Die was misschien met vakantie, of hij was geëmigreerd.

'Ik weet wie de eerste steen gooide. Maar dat had ik je al verteld.'

'Ja, maar misschien was dat wel helemaal geen PNB'er.'

'Ja, dat was het wel,' zei ik. 'Hij woont in de Argentastraat, en hij heet Blok. Hij heeft een steen door zijn raam gehad.' Ik keek even naar mijn moeder. Ze keek me droevig aan nu ze op het punt stond te horen wat ze eigenlijk al wist.

Mijn vader was verbijsterd, met stomheid geslagen. Hij keek me aan alsof hij voor het eerst zag dat hij een zoon had.

'Ik moest het doen,' zei ik tegen mijn moeder. 'Het was natuurlijk stom maar ik moest het doen. Voor Ref.'

Mijn vader ontplofte. 'Heb jíj die steen gegooid? Ben je knettergek geworden? En wie is Ref?'

Ik werd koud van binnen. 'Ik heb je verteld wie Ref is,' zei ik. 'Ben je dat nu al vergeten? Ref ligt in coma. Hij heeft...'

'Ja, ja.' Hij stak zijn hand op. 'Ik weet het weer. Maar weet je zeker dat het díé steen was?'

'Wat maakt dat uit? De eerste steen is het belangrijkst.'

'Weet je hoe het gaat, met Ref?' vroeg mijn moeder.

Ik zei tegen haar dat Ref kunstmatig in coma werd gehouden. Dat ze nog niet wisten hoe hij eraan toe zou zijn als hij weer bijkwam. Ze schudde verdrietig haar hoofd.

'Dus,' zei ik tegen mijn vader. 'Niks complot. Ja, van je eigen zoon.'

Hij keek ongerust. 'En verder weet niemand het?'

'Nee,' zei ik. 'Nog niet.'

'Michiel,' zei hij. 'Hou dat nou maar voor je. Dat is uiteindelijk goed afgelopen.'

'O? Ik dacht dat er iemand gewond was geraakt. Zijn vrouw.'

Ik was verbaasd over mezelf, dat ik zo kalm kon blijven. Maar dat kwam misschien omdat ik inmiddels mijn besluit al had genomen. Omdat ik droevig en kwaad tegelijk was.

Hij maakte een gebaar van 'dat valt allemaal wel mee' en zei: 'Maar wíj zijn gegijzeld.'

'Door wie?' vroeg ik.

'Door Marokkanen. Ze hadden bivakmutsen maar het waren Marokkanen. Die herken ik overal.'

'O ja,' zei ik. 'Dat zei je op tv ook. Toen je vertelde dat je bedreigd was.'

'Nou dan.'

'Je werd helemaal niet bedreigd, pa. Je werd alleen maar uitgelachen. Ik stond er heel toevallig een eindje vanaf. Ik heb het allemaal gezien.'

Hij kreeg een hoofd als vuur en keek mijn moeder hulpeloos aan. Maar ze leek langzaam door te krijgen hoe de vork in de steel zat en zei niets. Ze leek alleen iets te krimpen.

'Maar ze hebben ons vernederd,' zei mijn vader. 'Tot op het bot.'

'Erg. En nu? Wat gaat de PNB nu doen?'

Hij veerde op. 'We gaan natuurlijk...'

'Jullie gaan er gebruik van maken,' zei ik. 'Zo van: zie je wel, de PNB heeft gelijk. Stem op ons. Red je land.'

'Ben je nu opeens tegen ons?' vroeg hij.

'Nee, pa. Ik ben niet tegen jullie. Ik wil alleen niks met jullie te maken hebben. En nu moet ik even iemand bellen.'

Voor de tweede keer ging ik naar boven.

33

Op mijn kamer zocht ik in de telefoonpiramide van onze klas
het nummer van Kaja en toetste het in. Waarom ik voor haar
koos? Misschien was het omdat ik dacht dat zij de opening
kon zijn in de muur die me buiten hield. Maar het kon ook -
nee, het wás zo, dat wist ik - omdat ik niet goed kon verdragen
dat juist zij me wantrouwde en afwees. Ze nam pas op toen de
kiestoon vier keer was overgegaan.

'Michiel?' zei ze aarzelend. 'Ben jij dat?'

'Ik ben het, ja.'

'Waar was je?'

'Ik heb me een tijdje verstopt.'

'Voor wie?'

'Voor wie niet?'

'...'

'Luister Kaja, ik moet je een paar dingen vertellen. Luister je?'

'...'

'Kaja?'

'Ik luister.'

'Denk jij ook dat ik voor de partij van mijn vader ben?'

'... Nee, niet meer.'

'Niet méér?'

'Eerst wel. Iedereén dacht het. Nu niet meer.'

'Waarom nu niet meer?'

Ik moest voorzichtig zijn en niet te veel doorvragen. Als ze er
genoeg van kreeg kon ze de verbinding verbreken. Maar dat
deed ze niet.

'Jesper heeft gezegd wat je hem verteld hebt,' zei ze. 'Rafik ook.'

Ik sloot mijn ogen en wachtte op het vervolg.

'We hebben het erover gehad en we geloven je, Michiel. Rafik, Jesper, Samiha, iedereen.'

'Dat is het belangrijkste wat ik in tijden heb gehoord,' zei ik. 'Dank je wel.'

'Is goed. Kom maar weer naar school.'

'Zo snel mogelijk. En, Kaja?'

'Ja?'

'Ik vind het echt verschrikkelijk wat er met je vriendje is gebeurd. Met Ref.'

'... Mijn vriendje?'

'Ja, Ref is toch je vriendje?'

Ze lachte even. 'Nee,' zei ze. 'Hij is mijn neef.'

Dat moest ik even verwerken, en ze vroeg of ik er nog was. Of ik misschien nog iets wilde zeggen.

Ik wilde nog heel veel zeggen. Ik wilde zeggen dat ik ernaar uit keek om haar weer te zien. Ik zei het niet, nog niet.

'Ja, ik ben er nog,' zei ik. 'Hoe is het nu met Ref?'

'Ze zijn hem heel langzaam bij aan het brengen. Hij heeft zijn handen bewogen en heel even zijn ogen open gehad.'

'Komt het goed?'

'Dat hopen we allemaal.'

'Ja,' zei ik. 'Ik ook.'

'Zo,' zei ik toen ik de kamer weer binnenkwam. 'Dat was dat.'

'Wat heb je gedaan boven?' vroeg mijn vader.

'O, iemand gebeld. Een vrij belangrijk iemand.'

Hij leek me niet meer te vertrouwen. 'Wie dan?'

Ik antwoordde niet maar liep naar het raam en schoof het gordijn iets open. De auto stond nog steeds voor de deur, zag ik. 'Zeg maar tegen die jongens in die auto dat ze naar huis kunnen,' zei ik. 'Het gevaar is geweken.'

'Dat weet je niet.'

'Ja, hoor. Ik moet nog even weg.'

'Nee, Michiel,' zei mijn moeder. 'Blijf nou hier. Ik wil niet dat je weer verdwijnt.'

'Wees maar niet ongerust. Ik bel straks.'

Toen ik naar de deur liep zag ik mijn vader een beweging maken om me achterna te komen, om me tegen te houden. De blik waarmee ik naar hem keek hield hem tegen. Ik was hem de baas, zonder dat ik daar nou blij om was.

Het was een kwartier fietsen en ik deed het op mijn gemak. Het was donker en niet waarschijnlijk dat iemand me zou herkennen met mijn capuchon op. Bekende Nederlander gaat incognito. Ik dacht vooral na over Kaja. Het was een logische gedachte van me geweest dat Ref haar vriendje was toen ik haar had gezien met zijn ouders. Dat hij haar neef was, was niet in me opgekomen. Nu was ik er blij om.

Ho, Michiel, rustig aan, verbeeld je niks.

Nee, oké. Maar toch.

Toen ik op mijn plaats van bestemming was zette ik mijn fiets in een klem en op slot. Ik ging de draaideur door van het hoofdbureau van politie. Aan de andere kant van de hal was een balie met een politieman in uniform erachter. Hij keek me vriendelijk aan toen ik voor hem stond.

'Jongeman,' zei hij. 'Wat kan ik voor je doen?'

'Ik ben Michiel Bosroode,' zei ik. 'Ik kom mezelf aangeven.'

Zondag 10 mei

Ik moet er maar weer mee ophouden. Zo'n dagboek is niks voor mij,
merk ik. Ik ga mijn agenda weer als agenda gebruiken. De bladzijden
die ik schreef heb ik eruit gescheurd. Opgeborgen achter in mijn kast.
Ik hoef het niet meer te lezen maar ik bewaar het wel.
De taakstraf is goed te doen: afwashulp in de keuken van De Terp,
een verzorgingstehuis. Ze vragen daar wel eens wat ik heb uitgevreten maar ik geef er geen antwoord op. Dat is voorbij.
Over mijn vader wil ik niks schrijven. Later misschien. Hij ontwijkt
me zoveel mogelijk.
Morgen uit school ga ik naar Ref. Hij ligt nog in het ziekenhuis,
maar niet meer op de IC. Kaja zegt dat het goedkomt.
Kijken wat voor kleur zijn kussen heeft.

Dit boek kan in 2017 gekozen worden door de Jonge Jury.
Meer informatie: www.jongejury.nl

Omslag: Nanja Toebak
Foto omslag: © Sigi Kolbe, Getty Images

© Rom Molemaker, 2016

ISBN 9789025113223
NUR 284

Lees ook:

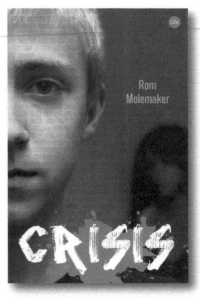

Maikel heeft de dagen in de gevangenis afgeteld. Nu is hij weer vrij en het leven lacht hem toe... maar niet heus. Hij voelt zich zwaar onzeker. Dat zijn klasgenoten met een boog om hem heen lopen, maakt het ook niet beter. Ze hadden net zo goed een bord om zijn nek kunnen hangen met VEROORDEELDE CRIMINEEL erop. Zo werd er naar hem gekeken, toen hij voor het eerst weer op school kwam.

Twee vrienden gaan vakantie vieren in een klein gehucht in het zuiden van Nederland. Wat een heerlijke ontspannen fietsvakantie had moeten worden, eindigt in een bloedstollende drijfjacht.

Een jongen, twee meisjes, een kostbare viool. Daarover gaat dit verhaal. Over liefde en haat en wat dat met iemand kan doen. Drie mensen, met ieder een eigen verhaal.

Savanne en Jorick. Een onmogelijke match. De beauty en de nerd. Als iets te mooi lijkt om waar te zijn, dan is dat meestal ook zo.Zijn fout is dat had hij dat meteen had moeten begrijpen. Jorick weet dat hij nooit had moeten gaan kijken op de plaats delict. Stom van hem. Maar iedereen was in paniek, niemand dacht na. Een moord op school, dat geloof je toch niet?

Rom Molemaker, geboren in Harderwijk, woont in Utrecht. Hij is gaan schrijven nadat hij in 1996 het onderwijs verliet. Hij schreef tot nu toe 27 kinder- en jeugdboeken en 1 literaire thriller. Verhalen, daar gaat het hem om. Hij ontving in 2004 de Debuutprijs Jonge Jury.